未来のためのミッション

人類が直面する危機とその対処法

Izumi Mitsuaki
泉満明

新潮社
図書編集室

はじめに

我々が生まれ、育ち、毎日の暮らしを営む地球は最も身近な天体と言えます。しかし身近であっても知らないことが多い、とても不思議な惑星でもあります。

地球は、その誕生以来四十六億年という途方もない長い歴史の中で、多様な生物の発生と進化、惑星や隕石の衝突、火山の噴火と大陸移動、気候変動や異常気象など実に様々なことが起きてきました。宇宙関係の研究ではそういった観点から、地球は宇宙において唯一無二と言える「不思議な惑星」であると考えられているのです。

地球の成り立ちを簡単におさらいすると、誕生直後マグマに覆われていた地表が数億年かけて冷やされ、その際の水蒸気がやがて雨となり地表に降り注ぐことで海が出来ました。海は蒸発を何度も繰り返した結果三十八億年前頃に安定し、最初の生命が海の中で単細胞の微生物として誕生しました。その後ラン藻類であるシアノバクテリアが海の中で大量発生し、光合成を行うことで大気中の酸素の割合が増えて行った結果、多様な生物が陸に上がってきます。さらに大気中の酸素により形成されたオゾン層は太陽からの有害な紫外線を遮断し、地上の生態系を保護してくれました。その後恐竜の全滅や人類の誕生を経た現在、地球は危機的状況を迎えてしまっていると言っても過言ではありません。空気中の二酸化炭素濃度は大幅に変動し、温暖化や海洋酸性化などの環境問題が引き起こされ、多くの生物が絶滅しその多様性を急激に減少させています。これは人類にとっても看過することが出来ない状況です。二十一世紀の現代、地球は人類の生存に関わる多くの、そして非常に危険な問題を抱えてその歴史を進めつつあります。

二十世紀以降、人類は原子力やニューバイオテクノロジーなどの素晴らしい技術を手に入れました。これらの技術が人類の発展に多大な貢献をしていることに疑う余地はありませんが、適用を誤り戦争などに用いると、人間の滅亡に強く働きかける側面も持っています。人類は今後発展の道を歩めるか、あるいは滅亡の道を選ぶかの危うい岐路に差し掛かっています。このような状況に多くの人々は気付かないか、気付いていてもそれほど気にしていないかもしれません。これからお話しすることに対し悲観的になったり絶望するのではなく、少しでも関心を持って前向きに考えることの指針になることが出来れば、こんなに嬉しいことはありません。

私達は平素あまり考えることなく、未来は現在の延長線上にあるものとしてイメージしています。そして、未来は予想も出来ないことが起きるのだから考えても無理、世の流れに身をゆだねて過ごすのが良い、と思う人も少なくないのではないでしょうか。しかし、最近の自然災害の激しさや、夏の酷暑などの異常な事象は未来の良くないことの予兆ではないかと考える人々も増えてきています。

私達は自分達が生きる未来を考える時、どんな「まさか」に備えて具体的にどのような問題点に注目し対処すべきなのでしょうか。最近テレビや新聞、インターネットなどでしばしば話題となっている十一の項目について考えてみたいと思います。

気候変動とエネルギー問題

これは人類の生存に大きな影響を与える問題で、我々が協力して乗り越えなければならない最大の課題です。二〇一五年のパリ協定では、世界の平均気温を産業革命時から二℃未満に抑えることを世界の国々が約束しました。気候温暖化の主な原因は大気中の二酸化炭素濃度であるとされています。これは人間の経済活動によるところが大きく、温暖化対策と経済活動の二律背反の関係とエネルギー問題をどのように解決するかが二〇二〇年代の大きな課題となっています。

核兵器の脅威と原子力発電

一九四五年八月六日、広島への原爆投下により一瞬のうちに約十万人が死亡し、さらにその後何万人もの人々が怪我や火傷、被曝によって命を落としました。もしも現代、核保有国の間で戦争が起こり互いに核兵器を使用すれば、一瞬のうちに数億人が殺されることになります。さらに数百の核爆発による大気への影響は、世界全体に「核の冬」を招きます。被曝はもとより飢餓と寒さ、病気によってほとんどの人類は死を迎えるしかなくなります。日本の核武装は、そのような未来の防波堤足り得るでしょうか。また、エネルギー源としての核の使用についても言及したいと思います。

ウイルスと現代社会

かつて世界中に蔓延し、猛威を振るったスペイン風邪と同じように中国から発生した新型コロナウイルスは、全世界にパンデミックを起こし人類の活動に大きな影響を与えました。仕事や教育の場でのリモート化は「新しい生活様式」の象徴のひとつでしょう。過去における感染症は人類の歴史を大きく動かしてきましたが、新型コロナも歴史を大きく転換させることになると思われます。

暴走するコンピュータ

いまやコンピュータは人間のあらゆる活動の効率化に大きな力を発揮していま す。すでに生活の中で大部分の機械、自動車、家庭の電化製品などに組み込まれて おり、この先さらに高度な作業への活用が期待されます。一方で企業や政府機関、個人へのサイバー攻撃は国を越えて激増しており、悪質なコンピュータウイルスの被害や、ネットの海に氾濫する膨大な情報をいかに取捨選択するか、さらに最近、生成ＡＩの利用の拡大などの深刻な問題が山積しています。

バイオテロリズム

人類は二十世紀から二十一世紀にかけて二大発明をしました。ひとつは原子力、もうひとつはニューバイオテクノロジーです。後者は人間の体の本質を明らかにした技術であり、この技術により人間の病気に関する研究が深まりました。新型コロナウイルスに対するワクチンが半年という短期間で製造出来、感染防止に有効活用されていることはまさにその恩恵でしょう。しかし、半面この技術は生物兵器の開発の基本でもあることを忘れてはなりません。

人口増加と食糧問題

現在地球上には約八十億人の人類が生活しています。現在も増加傾向にあり、新たな対策を講じなければならない時期にきているのではないでしょうか。緑の革命により食糧生産量は大きく向上しましたが、主要作物は小麦・米・トウモロコシ・イモ類・大豆に集約されているため、作物の多様性が少なく病原菌による被害は致命的です。そのため大量の農薬投与の必要がありますが、環境汚染の問題も懸念されます。今後は遺伝子操作による病原菌・虫害に強い作物の開発が重要となります。さらには培養肉、昆虫食も検討されて行くでしょう。植物工場の建設ラッシュは、我々にどんな未来を提供してくれるでしょうか。

地震・火山噴火・太陽フレア・地磁気逆転

日本列島は様々なプレートの集中地域であり、巨大地震や火山噴火などの災害が起こりやすい地域です。これらは地球自身の活動です。同様に太陽フレアは太陽の活動であり、いずれも人間の力では防ぎきれません。従って、事前に過去の災害を詳細に調査することで予想される被害をいかに小さく出来るか、という研究を進めて行くことが何より重要です。

風水・地震・火山災害と対策

この数年、「百年に一度」と言われる規模の大きい風水災害が多発しています。人類は自然の力に対抗出来ないことを自覚して、被害を出さない「防災」から被害を最小限にとどめる「人間に対する減災」への方向転換を図るべきではないでしょうか。そのためには南海トラフ巨大地震に対するインフラ被害対策が急務であり、迅速な避難のためにハザードマップの整備は必要不可欠です。

大量絶滅

地球の歴史が始まって以来、五回の大量絶滅が特定されています。生命の歴史において絶滅は不可避と言えるでしょう。中でも最大級のものが、約二億五二〇〇万年前のペルム紀の大量絶滅で、全ての生物種の約九十五パーセントが絶滅したと言われています。このペルム紀の大量絶滅の原因には、現在の地球環境と非常に似通った部分を見出すことが出来ます。現在、我々はすでに進行しつつある六回目の大量絶滅の中に生きているのではないでしょうか？

宇宙開発

宇宙船から地球を眺める観光はすでに可能となっていますが、直接月へ降り立つような観光は現状まだまだ先のことです。さらに月や火星などへの移住の実現となると、かなり困難なことと言わざるを得ません。
地上から空へ、そして宇宙にまで人間活動の範囲を広げた開発技術は、実は地上の生活に大きく貢献している重要な社会インフラの一部でもあります。

経済の変革と政治

社会主義は、資本主義の行き過ぎにブレーキをかける役割を担う側面を持っています。しかし東欧の革命やドイツ統一、そしてソ連の崩壊により世界における社会主義体制は大きく揺らぎ、結果として資本主義のもと、自由市場が拡大するとともに貧富の格差も拡大していきました。この生じた格差をいかに解消するか？　最近の混乱した国際情勢で国防費はどうするのか？　また、一九九〇年から続く人口オーナスに対する政策は？　課題は山積みとなっています。

おわりに（次に来る時代）

地球が太陽の周りを公転している限り、短くも温暖な間氷期が遠くない将来氷期になることは確実です。私達の先祖は氷期を乗り越え、間氷期に至ると文化・科学を発展させ現代に至りました。私達の子孫は、経験したことのない氷期を迎えることとなりますが、築き上げてきた科学技術を駆使して氷期を乗り越えて行くことと信じています。

目次

装幀　新潮社装幀室

未来のためのミッション

人類が直面する危機とその対処法

気候変動とエネルギー問題

ホモ・サピエンスは約二十万年前にアフリカで誕生しました。氷期が終わると、彼らは農耕と牧畜を開始し、「火」を始めとして薪炭や水車・風車・牛馬などのエネルギー消費の歴史が幕を開けます。そして近代、科学技術の急速な発達による大量のエネルギー消費は、地球に大きな負荷を掛けることとなりました。その結果、環境問題は人類が取り組むべき大きな課題となったのです。

人間の活動に由来して生じる、自然環境に対する負荷は国や地域により異なり、環境問題は国内的規模と地球的規模のものに分けられます。国内的規模の環境問題については、先進国においてはある程度の解決が見られています。これに対して、地球的規模の環境問題は一国にはとどまりません。主なものとしては地球温暖化、オゾン層の破壊、酸性雨、海洋酸性化、砂漠化、森林破壊と大火、廃棄物の越境移動、野生生物の減少、海面上昇、マラリアの蔓延、さらに環境難民等、枚挙に暇がありません。人類が地球上で生存して行くためには、限られた資源を有効に使って持続可能な社会を形成して行くことが必要です。最近の研究によって、産業革命以後急激に大気中の二酸化炭素の量が増加していることが示されました。このことは南極でも同じように観測されているとのことで、二十一世紀に入り二酸化炭素による温暖化は地球の最重要問題となったのです。二十世紀の初頭には大気中の二酸化炭素濃度は約二八〇ｐｐｍでしたが二〇二二年には約四二四ｐｐｍとなっています。

現在の私達は地球温暖化が「温室効果」によって起きていると認識しています。そもそも、温室効果はどのように発見されたのでしょうか。

温室効果につながる最初のアイデアはフランスの物理学者ジョゼフ・フーリエの論文によって一八二七年に発表されました。地球の地上の温度が太陽放射エネルギーの理論値より高いのは、地球の大気が外に出て行こうとするエネルギーを蓄えているためではないかというもので、これがまさに温室効果でありましたが、その段階では実証出来ませんでした。しかし、その後アイルランドの物理学者ジョン・チンダルが、水蒸気や二酸化炭素、窒素酸化物が大気中の赤外線を吸収し熱を蓄えることを発見したことで、温室効果ガスの発見につながりました。参考として、現在、地球の平均気温は十四℃前後です。温室効果ガスがなければマイナス十八℃くらいになります。

カリフォルニア大学のC・D・キーリングは、大気中の二酸化炭素の濃度が長期的に増加しているキーリング曲線を発表しました。この曲線は季節による細かい変動はありますが、全体的な傾向として年代とともに二酸化炭素が増加傾向にあることを示しています。研究の結果から、地球温暖化の原因を二酸化炭素とする基本的な理論が示されることになりました。温暖化については二酸化炭素だけが注目されがちですが、水蒸気・窒素酸化物・メタンガス等も赤外線を吸収します。従って、温暖化が進み海水がどんどん蒸発するとさらに温暖化は加速します。また、シベリアの永久凍土が溶けて封じ込められていたメタンガスが発生する可能性を指摘する説もあり、こちらも温暖化を助長する恐れがあります。

地球温暖化の議論を初めて世界レベルの騒動に巻き込んだのは、NASAの環境学者ジェームズ・ハンセンが科学雑誌『サイエンス』に投稿した論文でした。これは、化石燃料の使用で大気温が上昇し、この温暖化で地球環境が破壊される恐れがある、というものでした。論文が発表された直後の関心は薄かったものの、次第に環境問題として注目され始めました。一九八八年、ハンセンはアメリカ上院公聴会に呼ばれた際、「地球は温暖化しており、その原因は大気中の二酸化炭素量の増加であり、これは九十九パーセント人間の活動によるものだ」と発言しました。この発言は一大センセーションとなりましたが、気候変動対策の起爆剤にはなれませんでした。

まもなく、地球温暖化という新しいテーマに飛びついた各国の学者が「南極の氷が溶けると海面が七十メートル上昇する」といった、恐ろしい未来予測を次々に発表し始めると、温暖化問題はやがて科学の領域から政治の領域へと、その影響力を急速に拡大することとなりました。

一九九二年、国連が地球環境の保全をテーマにリオデジャネイロで開催した「地球サミット」は、各加盟国が首脳レベルの代表を送り、14日間で延べ四万人が集った史上最大の国際会議となりました。ここで「気候変動枠組み条約」や、各国の協力をうたった「アジェンダ21」の採択が行われました。

そして、一九九五年にはＣＯＰ１（第一回国連気候変動枠組条約締約国会議）が開催されました。気候変動問題を議論する際に科学的な根拠とされるのが、数年おきに公表される国連の「気候変動に関する政府間パネル（ＩＰＣＣ）」という報告書です。一九九〇年に公表された第一次評価報告書には、ノーベル物理学賞受賞者の真鍋淑郎博士も執筆責任者として名を連ねていました。世界ではＩＰＣＣという組織のあり方、その研究方法に疑問を呈する人もいますが、科学面では多少の成果は評価されていたので、国連はＩＰＣＣを中心に全世界を巻き込み二酸化炭素の放出による温暖化防止を進めることにしました。その後一九九七年のCOP3「京都議定書」で先進国に温室効果ガスの排出削減が義務化されると、今や地球温暖化防止の指導的立場になったIPCCの最新の第六次評価報告書（二〇二一年）では、「人間の活動が地球温暖化を引き起こしていることは疑う余地がない」と断定するに至ったのです。その根拠として、二〇一一年から二〇二〇年の十年間で世界の地表温度は産業革命以前に比べて一・〇九℃以上上昇していることが示され、この傾向は今後さらに十数年続き二〇三〇年初頭には一・五℃を超える可能性をも示しました。この場合、アジアとアフリカのほとんどの地域で大雨と洪水が激化し、さらに頻繁に発生することになります。

現在、各国の温暖化対策のベースとなっているのが、二〇一五年のCOP21で採択された「パリ協定」です。平均気温の上昇幅を産業革命以前より二℃未満に保つことを目指して、約一九〇の国・地域が批准しています。二〇五〇年までに温室効果ガスの排出「実質ゼロ」を目標としていますが、削減と同様に重要事項として途上国における「適応策」強化の必要性も指摘されています。

さらにＩＰＣＣは二〇二二年の第六次評価報告書において、地球温暖化を一・五℃付近に抑える対策は損失と被害を大幅に低減させることは出来ても、ゼロにすることは出来ないと指摘しました（図１－１）。

一方、これらＩＰＣＣの見解に地球物理学者の赤祖父俊一博士（アラスカ大学名誉教授）は疑問を投げかけています。博士は過去の研究や資料から、地球は一四〇〇年代から一八〇〇年代までは小氷期と呼べる寒冷期であり、その後一八〇〇年代以降は急速な気候回復とともに気温が上昇したことを明らかにし、現在進行している温暖化の大部分は自然変動であると結論づけています。それは百年で〇・五℃の上昇率で現在までに直線的に上昇しており、ＩＰＣＣは過去百年の気温上昇率は〇・六℃としているので、自然変動が確かであれば二酸化炭素による温室効果は、彼らが主張する〇・六℃のせいぜい六分の一ということになります。このことにより博士は、ＩＰＣＣは二酸化炭素の影響を過大に評価しており、気温上昇の原因を二酸化炭素と仮定したコンピュータによる将来予測はあまり信用出来ないと指摘しています。

確かに、二〇〇七年二月に発表されたＩＰＣＣ第四次評価報告書では「現在進行している地球温暖化の大部分は高い確率を持って二酸化炭素による」とあります。実はこれは「高い確率を持った」ＩＰＣＣの仮定でしかないはずなのですが、それがいつの間にかマスコミにより「事実」となってしまったように感じられます。中には売名を目的にＩＰＣＣに擦り寄ったり、研究費を潤沢にするために意見を百八十度変えて温暖化の原因を二酸化炭素とした学者もいるかもしれません。ちなみに、京都議定書の会議ではイギリスを中心に、ヨーロッパ諸国が共同してアメリカの経済力を削ぐ目的で議定書の条件を合意させようと激しい論戦が行われました。議長国の日本は成り行きを見守るだけだったようですが、結局アメリカは二酸化炭素削減には合意しなかったという経緯もあります。議定書の実効性には、先行きの不安しかありません。

さて、このように地球温暖化の原因は二酸化炭素などの温室効果ガスが主なものとされていますが、「ミランコビッチ・サイクル」をご存じでしょうか。これは地球の公転軌道・地球回転軸の傾き・揺れの三要素を組み合わせた気候変動サイクルのことで、地表への日射量を変動させ地上の温度変化に影響を与えるものと考えられています。これらの現象は万年単位の変化で、当面の地球温暖化の問題から無視してもよいと思われますが、氷期などの研究では重要なファクターとなります。

水蒸気が赤外線を吸収することは前述しました。実は水蒸気は温室効果の要因の五割を占めており（二酸化炭素は二割）重要なファクターであるのです。それにも拘らず、温暖化を語る際に水蒸気のことはあまり論じられません。水蒸気は強力な温室効果を持つだけでなく、雲を作って熱エネルギーを赤外線放射によって宇宙空間に逃がしたり、地球に入射する太陽エネルギーを宇宙に反射する性質も持っています。しかし、こうした雲の性質についてはパラメータ化するほど理解が進んでいません。このことからも、コンピュータによる温暖化予測の信用度はいまひとつと言わざるを得ません。しかも地球大気は定常的ではありません。

温暖化とはつまり気候変動です。気候について考える時、地球全体をひとつのものとして考え、主としてその平均値がどうなっているかを捉えることは「動的システム」としての視点に欠けています。つまりどういうことかと言うと、まず地球の気候を多数の部分の総計であると考え、どの部分もそれぞれに独特の特徴があり、全ての部分が他の部分と相互に依存し影響し合っているというメカニズムを解き明かさない限りは、次に何が起きるのか予測するのは非常に難しいことに留意すべきということです。すでに述べたように、地球大気の温暖化は一九八〇年頃から問題にされてきましたが、各国間における経済格差や、国家同士での意見相違により世界全体で取り組むべき課題であるとされるまでに四十年の歳月を必要としたことを鑑みると、気候変動の「ティッピングポイント」までの手遅れ感は否めません。温暖化の対策に並行して、気候変動に潜む「ティッピングポイント」は地球全

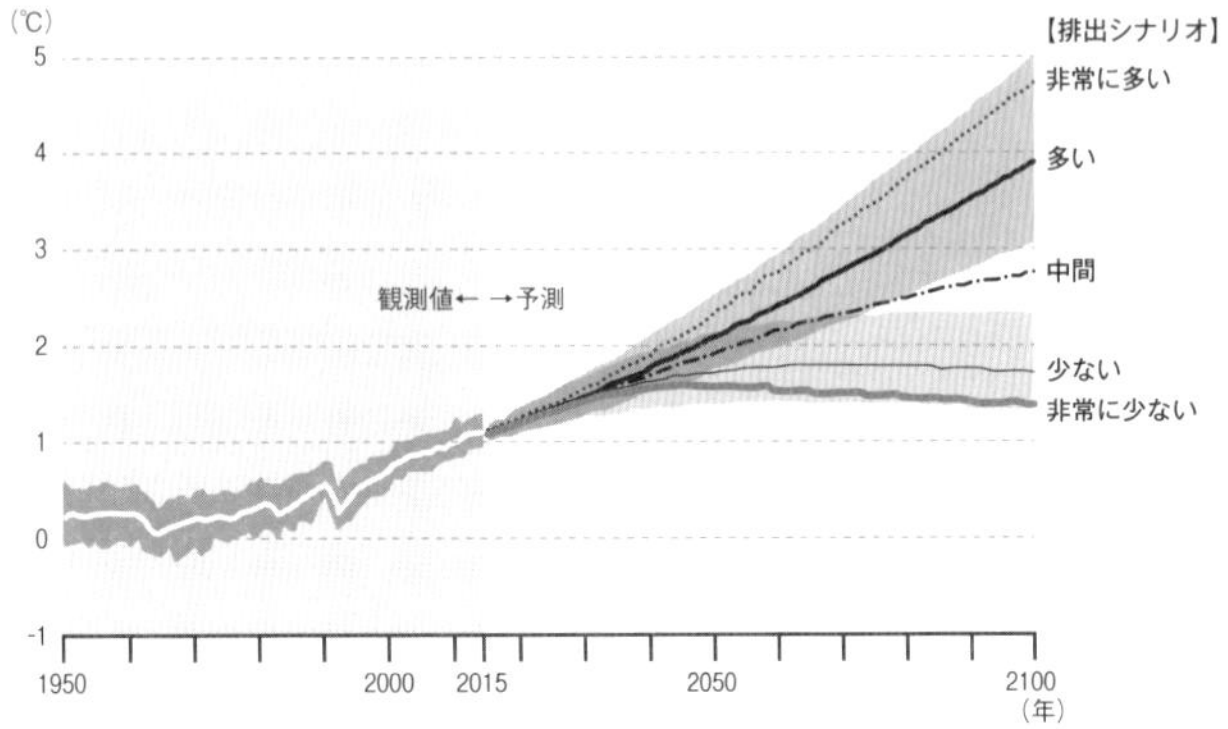

五つの温室効果ガス排出シナリオ（非常に多い・多い・中間・少ない・非常に少ない）に基づく、今後の世界平均気温の変化を予測したグラフ。「少ない」排出シナリオは、パリ協定における長期目標の2℃の温度上昇に相当し、「非常に少ない」は1.5℃の温度上昇に相当する。

いずれのシナリオでも、2040年までに産業革命前よりも1.5℃上昇する可能性が高いと予想されている。

「気候変動に関する政府間パネル〔IPCC〕」の第６次評価報告書

図-1　2100年までの世界平均気温の変化予測

体でなく、例えばある地域で数年にわたり雨量が著しく低下して豊かな農地が急速に砂漠化するなどについてよく調査することは大切です。調査、研究を進めることで「ティッピングポイント」への到達を未然に察知し防止出来るはずですが、事前に察知出来たとしても何らかの対策を取り得る余裕があるかどうかわかりません。気付いた時には手遅れだったということでは意味がない。気候に関してはそうなってしまう危険性が高く、一度状態が移行してしまえばもうどうすることも出来ま

表-1　「二酸化炭素回収除去（CDR）」

分類	具体的な手法の例
生物活動を利用する方法	植林、土地利用改善、バイオ炭、海洋の肥沃化
自然の無機化学反応を利用する方法	岩石の科学風花の促進、海洋のアルカリ性化
工学的な回収方法	科学工学的CO_2直接空気回収

表-2　「太陽放射改変（SRM）」

太陽光を反射する箇所	手法の例
宇宙	宇宙における太陽光シールド
成層圏	成層圏エアロゾル注入
対流圏	海上の雲の反射率改変
地表面	都市、住宅、砂漠などの反射率増加

『Newton』2022年11月号 「気候操作で温暖化は防げるか」より

せん。従って、地球の気候は「動的システム」と捉えて研究を進めることが重要なのです。

事実、いまだ二酸化炭素の削減はあまり進んでおらず地球温暖化は加速する一方です。そんな中、科学の力を利用して気候を改変してしまおうという考えがあります。そのひとつが「二酸化炭素回収除去（CDR）」（表-1）です。これは大気から二酸化炭素を除去し、地質、陸域、または海洋の貯留地に長期に貯蔵するという方法です。もうひとつは「太陽放射改変（SRM）」（表-2）で、こちらは人工的に太陽

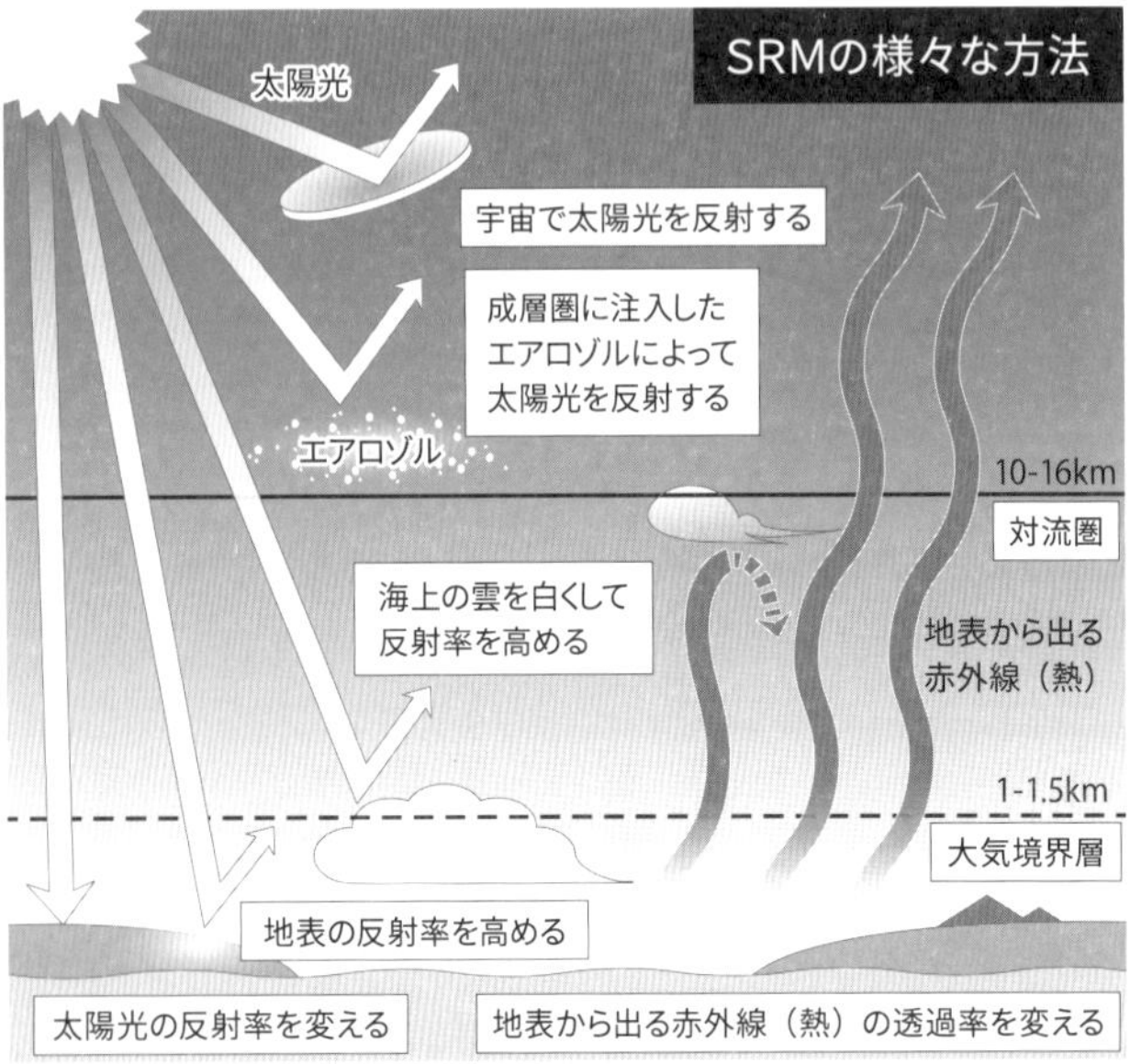

『Newton』2022年11月号「気候操作で温暖化は防げるか」中の図を基に作成

図－2　太陽放射改変の様々な方法

放射を調節して地球を冷却しようというものです。火山噴火後、空中の火山灰の影響で気温が下がるのと同じ原理です。しかし、実際に進めるには相当な年月と莫大な費用が必要であり、何より人為的な自然への介入であるこれらの手段が後々どのような影響をもたらすか、まったく予想出来ません（図－2）。

実際に一九九一年、ピナトゥボ火山噴火の際に二酸化硫黄を含む大量のエアロゾルが成層圏に放出され、地球全体が薄い霧に覆われた結果気温が平均〇・五℃低下したことが確認されています。二酸化硫黄を地上三万メートルの成層圏に散布すると、やがて硫酸塩エアロゾルの粒子となり、太陽光を反射する日よけとなります。約二年間上空にとどまり、その後地上や海に落ちて行きます。この手法は効果が恒久的ではないので、場合によっては繰り返すことが必要でしょう。二酸化硫黄の落下による海水の酸性化についての問題等も残ります。

二〇二三年三月、ＩＰＣＣの第六次評価報告書はようやく人間活動が前例のない速度で地球温暖化を引き起こしてきたことに疑う余地がないとの指摘をしました。今後も二酸化炭素が蓄積される限り気候変動は止まることなく、確実に「ティッピングポイント」に近づいて行きます。災害による「損失と損害」は増え、文明の発達は限界に達することとなるでしょう。

人類は生存に莫大なエネルギーを必要とし、かつ連日消費しています。十八世紀後半、ヨーロッパで石炭を動力源にした蒸気機関による産業革命が興り、二十世紀になると石油の利用も始まりました。石炭や石油といった化石燃料はエネルギーに変換される際に二酸化炭素を発生させます。世界の二酸化炭素排出量は一八五〇年頃から増え始め、一九五〇年代以降は急激に増加しました。先進国が消費社会に突入し途上国でも経済成長が始まったことで、化石燃料の消費量が爆発的に増えたのが原因です。つまり二酸化炭素排出増加の原因は、必要とするエネルギー生産の増加ということなのです。従って、使用エネルギー量を減少させることにより二酸化炭素排出量を低下させることが出来るはずです。しかし、国際会議ＣＯＰにおいて日常生活の省エネ等について関心が払われてこなかったことは、ＣＯＰの視点としては不完全なものだったと言わざるを得ませんが、ＩＰＣＣの第六次評価報告書でようやく人間の活動が温暖化の主因である可能性が高いと指摘されました。

二酸化炭素が、温暖化の主たる原因でなかったとしても一因であることは間違いなく、削減出来るならそれに越したことはありません。また、使用エネルギーの削減も必須の命題です。最近の風水害、天候の不順の状況を考えると温暖化防止対策はすでに手遅れになっているのではないか、それを食い止めるためにも我々の贅沢で豊満な日常生活から見つけ出せる、省エネルギーの方法として実効性のある温暖化防止策の一例を、筆者なりに提案したいと思います。

航空機：国内空路は基本的に中止、海外空路は路線を整理。航空会社を除く会社や個人の航空機所有禁止。

船　舶：海運会社、漁業関連の小型船を除く会社や個人の船舶所有禁止。

鉄　道：高速、大量、長距離の貨物輸送にはトラックより鉄道を優先すべきである。

移動手段：自家用車、社用車の所有禁止。エッセンシャルワークにおける使用は制限なし。代替手段として二人乗りの軽自動車一台をタイムシェアリング利用、バス、鉄道、船舶。日常の移動は主として自転車としたい。

生活全般：全ての照明はＬＥＤ使用、照明広告、飾りつけ照明の禁止、夜間照明は信号機以外には必要最小限とする。エネルギー節約のため食事一日三千キロカロリー以下。料理には電気以外のガス等を使用。住居の断熱性を向上。冷暖房はエアコン禁止とし、原則扇風機。暖房は炭、木材等（廃材などの活用）。水の節約、自宅風呂は三日に一回、代わりに銭湯利用。衣服の数の制限と長期使用。余剰食糧の再利用に伴う廃棄物の排出削減等。省エネと同時に各種の資材のリサイクルも同じようにきわめて重要。

以上はかなり厳しいことと思われますが、20世紀前半の生活を思えばそれほど厳しいものでもなく、すぐ明日からでも実行出来ます。前述の省エネ策は設備など必要なく不確実な温暖化対策より確実に効果的で、本気で実行すれば二酸化炭素排出の削減に大きな効果が期待出来ます。現在世界各国で行われている脱二酸化炭素技術はいずれも設備製作、作業、処理共に多量の二酸化炭素を排出しています。トータル的には二酸化炭素の削減効果に有効であるか疑問です。世界各国が本気で温暖化防止に進むならば私の提案を全てでなくても政策として実行すべきです。現状のままで進んで行けば21世紀の後半の地球上は想像もしたくない最悪の世界になっているかもしれません。

人類にはエネルギーが不可欠です。二酸化炭素を全く排出しないか、もしくは排出がきわめて少ない代替エネルギー源について、馴染みのある再生可能エネルギー類を検討してみましょう。

太陽光：クリーンエネルギーとして筆頭です。地球に降り注ぐ太陽光のエネルギーは膨大なものですが、地球全体に拡散しているのでそれを集めるには大きな面積が必要です。実は太陽光を電気に変換する光電パネルはあまり効率が良くなく、パネルの製造方法によって異なりますが太陽光の電気交換効率は十五~二十パーセントです。従って太陽エネルギーは化石燃料に比べて割高なものなのです。もうひとつの問題は、曇り・雨天・夜間には発電が出来ないので蓄電装置が必要となります。最近、ペロブスカイト太陽電池の発達により変換効率は上がり、シリコン太陽電池と別に新たな利用形態が注目されてきています。太陽光熱を利用する「太陽熱発電」もありますが、あまり検討されていません。

地上での発電にとどまらず、宇宙空間での静止衛星の技術を利用した宇宙太陽光発電も二十世紀以降研究されていますが、技術的な問題が多くコストの面からも実用化は二十一世紀でも困難でしょう。

風力：大きな風力タービンを回す風力発電は問題の解決に役立つように思えますが、再生可能エネルギーとして、現在の膨大な電力需要に応えるためは数多く建設する必要があります。その他立地条件・送電コストに加え、風力もまた太陽光と同様に気まぐれで安定供給が出来ません。また、タービン近くの住民は騒音等でこの装置を歓迎しません。景観を壊すこともあります。

水　力：水力発電用のダムは約百四十年前から建設されています。現在では世界の電力の約十六パーセントを賄っており、カナダ・ブラジル等では電力の大半を水力に頼っています。しかし、水力発電はすでに世界の河川にダムが多く建設されているため、新たな建設余地がありません。さらにダムは河川の環境を悪化させ、多くの土地を水没させます。

地　熱：地熱発電は、地球内部から湧き出す自然の熱を利用するものです。地熱は人類がまだほとんど利用していない熱源ですが、利用するには技術的に難しくコストが掛かり過ぎます。ただし地下十～百メートルの一〇～一七℃の温度（地中熱）をヒートポンプ利用でエアコンの省エネ冷暖房システムとして活用出来、これは農業や北国の融雪に利用されています。

バイオマス燃料：

バイオマス燃料は、動植物の生物資源を原料として作られた液体燃料のことで、バイオエタノール、バイオディーゼルなどを指します。この燃料の利点は再生可能エネルギーだということですが、バイオマスは化石燃料より効率が良くありませんので、全体に使用するのでなく補助的に使用されることが多いようです。バイオマスエタノールを一リッター生成するためには、同量の化石燃料と大量の穀物を消費すると言われています。飛行機は航行すれども食料不足で餓死者が生じる、などという皮肉な将来がないとは言えません。

現在、研究は初期段階であるが、微細藻類によるバイオ燃料の生産研究が進められている。これはカーボンリサイクルといえる。

海流・潮汐力・波力発電：

海流、潮の満ち引き、波の圧力などをタービン回転に変換して発電するシステム。多くは実験あるいは計画段階ですが、一部実用化もされています。島国であるメリットを生かして安定した電力供給が期待出来ます。設置や維持に掛かるコストが大きいのがデメリットと言えますが、二酸化炭素を排出せず放射能漏れの心配もない発電方法として改めて注目が集まっています。

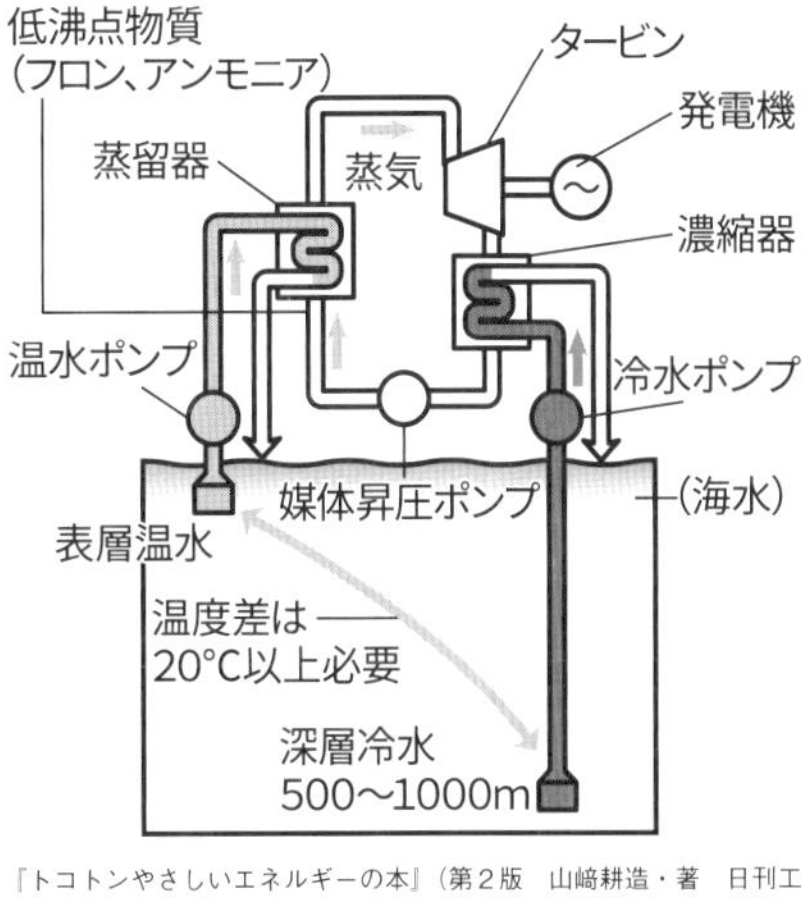

『トコトンやさしいエネルギーの本』(第２版　山﨑耕造・著　日刊工業新聞社) 中の図を基に作成

図-3　海洋温度差発電

海洋温度差発電：

深層海水と表層海水の温度差をタービン発電機によって電力に変換する発電。この技術は十九世紀後半から、断続的に開発が進められてきました。現在の技術では海水温度差が年間平均二十度以上必要で、アメリカではハワイに日本では沖縄に実証プラントがあります。発電コストは風力発電と同程度とされており、この施設は空調設備・養殖・海水淡水化などの副次的な利用が可能です。島国である日本には有利なものですが、この施設は海上を占有するためにその所在は海洋法に関する国際連合条約に影響されます（図１‐３）。

石炭：石炭は国内にそれなりの量が埋蔵されているエネルギー原料です。第二次大戦中には人造石油の生産に充てられていましたが、あまりにもコスト高でした。しかし二〇〇〇年代、原油価格が一バーレルあたり約百五十ドルに達し、枯渇も懸念されるようになり、再び石炭液化が見直されるようになりました。原子力石炭液化として超高温原子炉が実証炉段階に達したことで、二酸化炭素削減と少量の石炭による大量の人造石油生産が期待されています。バイオマス燃料よりも価格と大量供給に優位で、石油を輸入に頼る日本でも早急に検討を進めてほしいところですが、残念なことに日本には石炭関係の研究者は皆無に近いのが現状です。

メタンハイドレート：

化石燃料であるが、日本近海は世界有数のメタンハイドレート埋蔵量を持つとされています。将来の日本のエネルギーのひとつとして考えられており、今のところ有効な採掘方法が確立されていません。エネルギーとして利用するための技術とコストの問題解決には、今後相当な時間が必要となります。

化石燃料にとって代わるエネルギー源は多くありますが、二酸化炭素排出に関して言えば完全にゼロにすることは出来ません。水力発電に例を示すと、ダム建設の際には多くのセメント・砂利・鋼材が使用され、これら材料の生産、工事作業などには莫大なエネルギーを必要とし、多くの二酸化炭素が完成前に大気中に放出されることになります。発電中に排出しなくても、建設中に大量の二酸化炭素が排出されることになるので、二酸化炭素量の収支は「行って来い」となってしまいます。現在の技術レベルでは、代替エネルギーをいくらうまく活用しても、二酸化炭素を大幅に減らすことは出来ない状況なのです。

近年、世界の自動車会社はEV車（電気自動車）の販売計画に躍起になっていますが、これは既存の消費文化を助長してより多くの資源を浪費することにしかなりません。確かにEV車は走行中二酸化炭素を排出しませんが、充電時や車体製作時に現状の発電設備による大量のエネルギーを必要とすることを考えると、決してメリットばかりとは言い切れません。

さらにEVは、設備に不可欠なリチウムイオン電池の製造に大量のレアメタルを使用します。しかしリチウムの産出はチリ共和国の環境破壊を引き起こし、コバルトの採掘はアフリカの最も貧しいコンゴ民主共和国で劣悪な環境下での奴隷・児童労働を蔓延させています。先進国における気候変動防止のために、限りある資源が途上国より簒奪されているのです。この事実を先進国は意識しているのでしょうか。この様なことで先進国は温暖化防止、ＳＤＧｓを本当に進めようとしているのでしょうか？　地球環境保全のための方策が逆に地球環境を劣化させ得ることを、我々は決して忘れてはなりません。まさに、ＥＶはグリーンウォッシュの典型と言えます。さらに電気自動車の充電のために増大する電力消費量を補うため、ますます多くの発電設備が必要となります。さらなる資源が採掘され、発電装置の製造でさらなる二酸化炭素が排出されるでしょう。もちろん環境も破壊され、その様相はまさに「ジェボンズのパラドックス」です。結論としてＥＶは環境危機を促進させ、気候変動防止や省エネ、さらにはＳＤＧｓに何ら貢献しない、状況を悪化させるだけの人間が作成した代表的産物と言わざるを得ません。

ＥＵは二〇三五年以降の新車販売について、エンジン車を全面禁止する従来の規制方針を撤回しました。ただし、水素と二酸化炭素を合成した液体燃料で二酸化炭素の排出を抑えた合成燃料「イーフューエル」等の使用を販売条件としました。この燃料は車の走行時には二酸化炭素を排出はしますが、製造段階で二酸化炭素を使用するので相殺され、実質的に二酸化炭素を大幅に削減出来るとされています。まさに燃料の「カーボンニュートラル」と言えます。既存のエンジン車でも使用可能ですが、結局水素の製造には大量の電気が必要であり、合成燃料の価格はガソリンの四倍という問題が残ります。さらに、走行時に二酸化炭素を排出しないゼロエミッション車の燃料電池自動車（ＦＣＶ）があります。主として水素燃料を用い電池でモーターを動かして走行するのですが、現状ではそれなりのメリット、デメリットがあり、今後の検討が必要な車種であります。これらの動きはＥＶだけにとらわれない自動車の可能性を大きく広げています。

全ての加盟国に二酸化炭素削減目標の提出を義務化し「一・五℃目標」を掲げたＣＯＰ26ですが、今後の課題はパリ協定の努力目標に向けて、全ての国が実効的な対策を取ることで合意出来るかどうかでしょう。〝会議は踊る、されど進まず〟の体を晒さないことを願うばかりです。「カーボンニュートラル」「カーボンクレジット」などと耳当たりの良い言葉を弄するばかりで、実効性に乏しい会議のみの各国首脳の姿勢に、若者の一部が反対のアジテーション「グローバル気候ストライキ」を実行していますが、反対をするだけではなく実効性、具体性のある省エネなどの手段を提案すべきでしょう。

現状考え得る代替エネルギー源はふんだんにありますが、現在の技術段階ではこれらをいくらうまく活用しても、化石燃料の使用を大幅に減らすことは出来ないでしょう。視点を変えると化石燃料は近代社会を支える材料資源でもあるので、単にエネルギー源として消費するのはもったいない行為とも言えるのです。二十一世紀の人類には、間違いなく大量のエネルギーが必要です。さらに二酸化炭素の削減を考えるなら、筆者が望ましいと考えるのは二十世紀に人類が手に入れた原子力です。兵器としての核利用を全て排除して、原子力発電をエネルギーシステムとしてもっと活用すべきです。これについては、次章で詳しく述べたいと思います。

いずれにしても、新たなエネルギー生産が実用化されるまでは現状のエネルギー生産に頼るしかありません。今後もエネルギー価格は高騰し経済活動の大きな足枷となるでしょう。従って、省エネルギーやリサイクルは最重要課題になります。

一方で、逆転の発想から二酸化炭素をカーボンリサイクルでプラスチックの素材等に利用する研究が日本を始め世界各国で急速に進められており、温暖化を抑えるひとつの手段として希望が持てるようになっています。温暖化対策の日本のエネルギー問題について、この分野の真のプロフェショナルが政策決定の中枢に不足しているせいか、あまり実効性のない対策ばかりが先行してシステム的な解決に至っていない印象です。イメージやムードに動かされるだけの「エコ」でなく、科学的でシステマチックな活動であるべきです。そして、温暖化の真の原因をいま一度冷静に検討し、自然変動が主なものであるとするならば、それに順応・適応していかなければなりません。二酸化炭素の放出の削減・抑制に多くの資金を使っても、主たる原因が自然変動とすれば的外れとなり、意味がなくなります。その資金で新エネルギーの開発やエネルギー使用の効率化を図ることの方が遥かに有意義です。

経済とエネルギー、そして環境問題は相容れることが非常に難しく、省エネに関わることとは確実に経済の低下や企業の倒産等の影響を伴うものです。現在の産業構造は大きな変革を必要とされることとなり、政治家、資本家などの支配階級には同意出来ないことも多いでしょう。しかし、人類の生存に関する重大な問題であるところを認識した、誠実で実効力のある政治家と調整力のある政府の活躍を期待したいものです。

補記【ティッピングポイント】
それまで小さく変化していたある物事が、突然急激に変化する時点を意味する語。臨界点や閾値と言い換えられることもある。

補記【グリーンウォッシュ】
環境配慮をしているように装いごまかすこと。

補記【ジェボンズのパラドックス】

技術の進歩により資源利用の効率が向上したにも拘らず資源の消費量は減らず、むしろ増加してしまうというパラドックス。

核兵器の脅威と原子力発電

今日に至るまで、戦争に核兵器が使用されたのは広島と長崎の二回のみです。以降、人類は核戦争の脅威を背後に持ち続けることとなりました（図1-4）。一九八五年、通称ジュネーブサミットと呼ばれる米ソ首脳会談で核兵器削減などが協議され、レーガン大統領とゴルバチョフ共産党書記長は「核戦争に勝者はなく、また、核戦争は決して戦われてはならない」との共同声明を発表しました。さらに、一九八九年の冷戦終結によって核の恐怖は薄らいだかに思われましたが、その後の世界情勢は核のリスクを再び増大させつつあります。

核戦争に至るシナリオのひとつとして、核兵器保有国による他の核保有国への計画的な奇襲があります。この奇襲の目的は敵国の兵器を完全かつ瞬間的に破壊し、

図-4　原子爆弾の破裂

報復能力を全くなくすことにあります。冷戦時代の数十年間は、このシナリオが最も恐れられていました。幸いにして核戦争には至らなかったものの、その脅威の寸前まで達した実例が「キューバ危機」です。

キューバ革命（一九五九年）の成功による社会主義国家建設の進行に伴い、キューバからアメリカ資本が追放されたことに対し当時のアイゼンハワー大統領は国交を断絶、さらに革命政府転覆を目論みますがあえなく失敗します（ピッグス湾事件）。このことを受け、キューバは反米姿勢を強めてソビエト連邦と急接近、ソ連のフルシチョフ第一書記もアメリカに対し優位に立つため、キューバに核ミサイルを配備する作戦を決定しました。ソ連やその同盟国の貨物船が頻繁にキューバの港に出入りするのを不審に思ったアメリカは、キューバ周辺の偵察飛行を強化していた一九六二年十月十六日、U2偵察機がキューバ上空で撮影した写真を分析した結果、六ケ所の近距離攻撃用ミサイルの配備と中距離ミサイル用の基地のために掘られた穴が三ケ所見つかりました。この事実によりソ連のミサイル基地建設が判明し、全世界を震撼させた緊迫の十三日間がこの日から始まりました。

ホワイトハウスではケネディ大統領を中心に、国家安全保障会議執行委員会（エクスコム）が組織され審議が重ねられました。空爆か海上封鎖という二つの選択肢が残された結果、海上封鎖を実行し事態が進まない場合は空爆実施という折衷案がまとまりました。十月二十二日、ケネディ大統領はテレビ・ラジオを通じてアメリカ国民にキューバにおける事態を説明し、海上封鎖措置と船舶の臨検決定を発表しますが、この演説を受けたフルシチョフ第一書記は逆に猶予が出来たと考え、ミサイル基地の建設を続行しました。さらにケネディ大統領に書簡を送り、国際法違反であると激しく非難しました。これに対しケネディは「理性を持って状況を管理不能な状態にしてはならない」と返信し、この後十数回に及ぶ書簡のやり取りがなされましたが、事態が好転することはありませんでした。十月二十六日、アメリカはデフコン（防衛準備態勢）2を発令。これは完全戦争準備態勢の一歩手前のレベルとなります。この状況に事態が制御不能になってしまうことを恐れたフルシチョフ第一書記は、アメリカに対しトルコに配備しているミサイルの撤去とキューバに侵攻しないことを交換条件として、キューバのミサイル基地の撤去を提案します。十月二十八日、両国はこれに合意し第三次世界大戦を免れることとなったのです。

余談ですが、このキューバ危機の回避には指導者の在り方が大きく影響していたと言えるでしょう。ケネディ大統領は当初空爆が最善策だと考えていましたが、エクスコムの中で討議された意見を尊重し、取捨選択の結果「海上封鎖」を最善と判断し実行しました。空爆を実施すれば、当然ソ連は報復行動を起こし、全面戦争に突入した可能性は十分にあります。そうならなかったのは、結果的にケネディの柔軟でありながらも確固たる強い姿勢にあったと言えるでしょう。

また今回の件を教訓に、二つの国の政府首脳間を結ぶ緊急連絡用の直通電話ホットラインがソ連とアメリカ間に初めて設置されました。その後部分的核実験禁止条約が締結され、いわゆる米ソデタント（緊張緩和）の流れが形成されて行ったのです。

アメリカとソ連はともに十分な核能力を有していたので、自国が持つ報復能力の瞬間的壊滅リスクを回避するために複数の核兵器整備システムを開発しました。例えば、アメリカは地下ミサイルサイロ・潜水艦・核爆弾を搭載した爆撃機という三つの核兵器配備システムを持っています。仮にソ連の奇襲攻撃を受けたとしても、アメリカの核攻撃力をゼロにすることは出来ません。ソ連も同様で、従って奇襲は合理的でないと米ソは互いに認識していたのです。しかし、こうした合理的な考察がもたらす未来への安心感には期限がありました。なぜなら、現代には合理的であることを是としない指導者が出現しているからです。

もうひとつのシナリオは、警告サインの誤読によるテクニカルな事故です。アメリカとロシアは、いずれも敵国の弾道ミサイル発射を探知する早期警戒システムを持っています。ミサイル発射が検知されると、それぞれの国の大統領は飛来するミサイルによって自国の地上ミサイル基地が破壊される前に、報復攻撃を開始すべきか否かを約十分以内に決定しなければなりません。警報は本物か、それともテクニカルエラーによる誤報なのか。一国を灰燼《かいじん》に帰するボタンを押す決断に費やせる時間はあまりに短く、そして発射したミサイルを取り消すことは出来ません。これが誤報であった場合の代償は、あまりにも大きいものです。

最も危険なシナリオは、テロリストによる核兵器の使用です。彼らは核保有国から盗むか供与されるという形で核兵器を手に入れ、標的国に秘密裡に運び込み起爆させるのです。かつてアルカイダは、アメリカに対して使用するための核兵器入手を目論んでいました。国家間であれば機能する「核抑止」の原理は、テロリスト相手には成立しません。そのため、彼らが手にする核兵器は最も危険なものとなります。しかも、そんなテロリストを支援する国家も実際に存在するということも忘れてはならないのです。

高名な天文学者カール・セーガンらは一九八三年、核兵器の使用によって発生する都市や森林の大規模火災が巻き上げる、大量の煤煙が太陽光を遮断することによって地球規模の気温低下が起きるという、いわゆる「核の冬」を提唱しました。現在では妥当性の低い仮説としての認識が大勢を占めているにも拘らず、いまだに消えることがないのは、それだけ核兵器の危険性と恐怖を説き続ける必要があるからではないでしょうか。仮に「核の冬」は起こらなくても、放射能を帯びた死の灰が降り注ぐことによる催奇性と、放射線による病気の問題は深刻です。

最悪のシナリオが現実とならないために、核保有国、核関連研究所、原子力発電所などはウランやプルトニウムなどの一層の厳重な管理が求められます。そして何より、核爆弾など持つ必要のない世界の構築を求めて止みません。

キューバ危機において、第三次世界大戦は本当に「回避」されたのでしょうか。それとも「延長」されたに過ぎないのでしょうか。

ここで問題を日本に関連した核兵器について、あえて率直にエキセントリックな意見を述べてみたいと思います。

この章の冒頭でも述べましたが、戦争に原子爆弾が使用されたのは広島と長崎の二回だけで、使用したのは唯一アメリカでした。この非人道的爆弾は多くの非戦闘員の日本人を殺傷しました。このことに対するアメリカの言い分として、戦争の早期の終結と米兵の死傷者の低減を理由として挙げていました。しかし、当時の日本はすでに連合軍に抵抗出来る状態ではなく、原子爆弾の投下は残虐で無駄な行為だったと言ってよいのではないでしょうか。一方、戦後の日本の高官とアメリカの高官との会話で「**仮に当時日本も核爆弾を保有していたらアメリカは日本に核爆弾を投下したか**」との問いに、アメリカ高官は即座に「**しなかった**」と答えたということが非公式に伝えられています。このエピソードは、いみじくも核防衛には核の保有が必要であることが示唆されていると言えるでしょう。

日本では、被爆国としての人道的見地から「核共有（シェアリング）」の有効性が説かれ、時おり議論もされているようですが、これは全くの見当違いと言わざるを得ません。譲渡される兵器は、自国領土内で攻め込んできた敵軍を攻撃するというのが前提で、長距離攻撃は不可能なものです。これは島国であり、海の向こうからの脅威に晒される我が国には不向きです。そして「核共有」によってアメリカからシェアされるものとは、単に核兵器ではなく「核兵器を自国で使用する罪と責任」なのです。一方、「核の傘」も幻想となりつつあります。もしも中国や北朝鮮にアメリカ本土を核攻撃出来る能力があれば、アメリカが自国の核を使って日本を守っている余裕などありません。

二〇二三年六月時点で、核保有国は未確認のイスラエルを含めて九ケ国に増えました。さらに世界に存在する核爆弾は一万二千五百二十発に上ります。その内、隣国である中国・北朝鮮だけで合わせて四百五〇発を保有しています。核爆弾の使用が示唆される、現在の混乱する世界情勢を冷静に判断すると、自国で核を保有するかしないか、日本にはそれ以外に選択肢はないのです。中国に加えて北朝鮮も核保有国である中で、日本の核保有は戦うためでなく、むしろ地域の安定化に繋げるものなのです。

最近のロシアとウクライナの戦争において、アメリカの行動の危うさや不確かさは同盟国日本にとっては不必要な戦争に巻き込まれる等のリスクを伴っています。かつてウクライナは世界第三位の核兵器大国でした。一九九四年、ロシア・アメリカ・イギリスが安全を保障するという約束の下にウクライナは全ての核兵器を放棄しましたが、核の保有は拡張主義を掲げるロシアから自国を守る唯一の手段だったのです。案の定、プーチンは当時のエリツィン大統領が同意した領土保全を支持することなく、ウクライナに軍事侵攻を仕掛けました。もしもウクライナが現在も核を保有していたならロシアの侵攻はなかっただろう、とクリントン米元大統領は述懐しています。色々な議論があるかと思いますが、核の保有はアメリカとの同盟（保護国）から抜け出し、真の日本の自律を得るための手段と考えます。政府は、ロシア・中国・北朝鮮との外交において毅然とした態度で臨んでいるとしていますが、彼の国にとって日本は所詮アメリカの保護国に過ぎず「適当にあしらっておけ」という態度でしょう。そんな彼らの態度を改めさせるためにも、ウクライナを

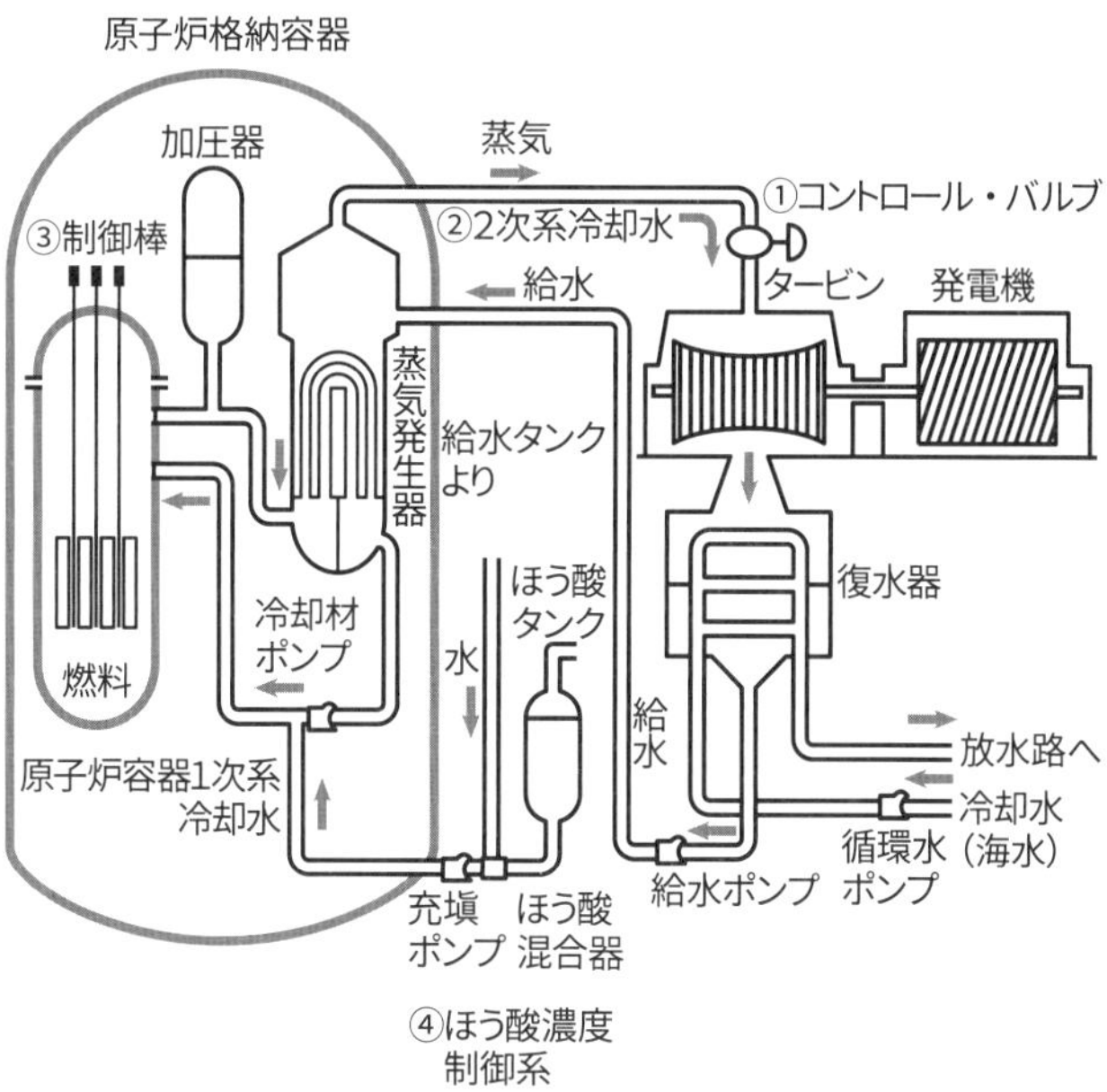

『増補版　世界の放射線被曝地調査』（高田純・著　医療科学社）中の図を基に作成

図-5　加圧水型 原子炉発電所の構造（「原子力百科事典ATOMICA」より）

例に出すまでもなく抑止力としての核武装は必須条件なのです。

　原子力の負の面ばかり述べてきましたが、二十世紀に人類が開発したエネルギー源である核エネルギーの活用は、今後の人類の発展のために欠かせないものでもあります。原子力発電は、原子炉の中でウラン二三五を連鎖的に核分裂させ、その際発生する膨大な熱エネルギーを原子炉の冷却で取り出した高温・高圧の蒸気の力でタービンを回し発電するものです。図－5からわかるように発電装置そのものは一般の火力発電と同じもので、原子炉は放射性物質の外部環境への漏洩を幾重にも防止する構造となっています。このシステムは、過去三度ほどの大事故を起こし放射能汚染を生じたため敬遠されてきましたが、事故を起こしているのは図に示す原子格納容器の部分で、安全装置があったものの人的操作ミス、あるいは地震などの災害によるウランの核分裂の中止操作に関する訓練不足などの手落ちがあったため事故となったということを事故調査報告書から読み取ることが出来ます。さらに、機構そのものの欠陥というよりも、危機における標準処理方法がとられなかったという人災である印象が強いのです。

現在、使用済み核燃料は海外等の再処理工場で分離され、ウランやプルトニウムが取り出されて再利用に充てられます。問題となるのは、核のゴミと呼ばれる「高レベル放射性廃棄物」です。これらは青森県六ヶ所村や茨城県東海村の施設で三十年から五十年保存管理された後、地下三〇〇メートルの地中深く隔離する計画ですが、この核のゴミが無害化するまで千年とも十万年とも言われています。今後の技術進歩により、どこまで克服出来るか期待したいところです。

近年地球温暖化防止に原子力発電が見直され、安全性の高い革新軽水炉や高速で核燃料を生成出来る高速増殖炉、さらに小型モジュール炉（SMR）の実用化が世界各国で進められています。高速増殖炉の冷却材であるナトリウム等の取り扱いを始め、諸々の問題点があり開発の停滞がありましたが、日米連携のもと開発研究を強力に進める方向になっています。またヨーロッパでは、安全性の高いEPR型の原子炉、日本では冷却材に水の代わりにヘリウムガスを用いる高温ガス炉も開発されてきています。さらに最近、長期稼働原発の六十年超え運転を可能にする劣化対策が検討され、原発の運転期間の延長を含む「GX炭素電源法」が成立し、六十年を超えて原発の運転ができるようになりました。

一方、核を「分裂」させるのではなく「ぶつけ合う」ことで発電を行う核融合発電のアイデアは一九五〇年代にすでに誕生していました。核融合発電は原子力発電に比べて安全性が高く、さらに水素を使用するため半永久的に燃料を採取することが出来て資源を枯渇させることがありません。原子力発電に代わる発電方法として注目を浴びていますが、実現には高度な技術問題と巨額な費用が掛かることもあり、いまだ実用化には至っていないのが実情です。

ウイルスと現代社会

人類とウイルスとの間には、インフルエンザとの非常に長い闘いの歴史がありました。電子顕微鏡の発明により、インフルエンザの原因が細菌でなくウイルスによるものだと明らかになったのは最近のことです。

ウイルスの発見での最初の立役者は、ドイツの農学者アドルフ・マイヤーです。彼はたばこの葉っぱに出来る煙草モザイク病の原因を追究し、煙草モザイク病の原因は細菌でなく何か別の病原体であると推測しました。その後、別の研究者により煙草モザイク病の原因は細菌より小さな病原体であるとされ、「ウイルス（毒液の意）」と名付けられました。ウイルスは光学顕微鏡では見つけることが出来ず、電子顕微鏡の発明によって明らかとなりました。

日本の一番古い記録では、平安時代の近畿地方でインフルエンザらしき病気が流行っていたというものがあり、明治時代にはインフルエンザが世界的に流行したことがありました。当時の人々はこれを「流行性感冒」と名付け、略して「流感」と言いました。

インフルエンザ流行の歴史において最も有名で、人類に重大な被害を与えたのがスペイン風邪です。一九一八年から一九一九年にかけて、スペイン風邪は世界中で大流行しました。

スペイン風邪は最初にアメリカで始まりました。ちょうど第一次世界大戦に参戦することにより、若者をヨーロッパ戦線に送ることになったところ、訓練地に集められた若者に高熱を発してせき込む症状が多発しました。中には輸送中死亡した者もいました。彼等を戦線に送り込んだ途端、今度はフランス・イギリス・ドイツにもこの病気が一気に広がりました。しかし戦争中ですから、どの国もこの風邪で戦力が衰えたことを相手に知られないように極秘にしていました。当時、スペインは中立国でしたので秘密にしておく必要がなく、大勢の人が大変な風邪に罹っていることが報道されました。このことから「スペイン風邪」という名前がつけられましたが、本当はアメリカから始まったのですから、スペインにとっては迷惑なことです。

スペイン風邪は猛威を振るった後、「突然消えてしまいました」と言われていますが第二波、第三波があって新型コロナウイルスと同じように第二波では、とりわけ若者が重症化する傾向になりました。スペイン風邪の死者は世界中で五千万人くらいと見られています。さらに感染者は六億人に上り、当時の人口が十九億人とすれば三人に一人は罹ったことになります。この闘いはいろいろな教訓を残しつつも、人類は完全敗退でありました。

第一次世界大戦の終結が早まった原因のひとつは、敵味方皆がスペイン風邪に罹りバタバタと倒れて、戦争を続けることが出来なくなったからと言われています。戦死者より、スペイン風邪で死亡した人の数の方が遥かに多かったのです。もちろん日本でも大流行し、約三十八万人が死んだとされています。死亡者があまりに多いので火葬場が足りず、火葬を待つ遺体があちこちに積み上げられていたそうです。著名人では島村抱月が感染死しており、当時恋仲であった松井須磨子が後追い自殺をするという悲恋の物語までありました。

スペイン風邪の起源については諸説ありますが、有力視されているのは歴史家マーク・ハンフリーズ説です。これは、当時大勢の中国人労働者を列車に閉じ込めて、カナダを横断しヨーロッパまで運んだことを発端とするものです。同様な症状が台湾でも流行していたこともあり、このことからスペイン風邪の源はどうやら中国大陸ではないかと推測され、中国大陸で突然変異したウイルスが、全世界に広がったのではないかとされています。

スペイン風邪の病原体は長い間不明でしたが、一九九七年にアラスカの永久凍土からスペイン風邪で死亡した遺体が掘り出され、その遺体から採取した検体を調べた結果スペイン風邪の病原体はウイルスであり、鳥インフルエンザウイルスに由来するものであったことが証明されました。

鳥インフルエンザは基本的に人には感染しませんが、豚には感染します。さらに人間のインフルエンザも豚に感染するので、豚の体内で鳥インフルエンザウイルスと人間のインフルエンザウイルスが混じり合い、全く新しいタイプのウイルスが生まれます。ウイルスの交雑による突然変異です。新たに生まれたウイルスの多くは生き延びることは出来ませんが、稀に生き延びたウイルスが人間や鳥に感染することになるのです。中国南部の農村地帯では、人間と豚が同じ屋根の下で暮らしている非衛生的な環境が多く、新たなインフルエンザウイルスへの感染の恐れが警告されていました。

新型コロナウイルスのニュースが飛び込んできたのは二〇一九年十二月でした。中国中部の湖北省武漢市で原因不明の肺炎を発症した人達が出ているというもので、その後さらに同年十二月三十日に原因不明の肺炎患者から新型コロナウイルスが検出されていたことがわかりました。この情報をSNSにあげた武漢の眼科医は警察に呼び出され「風説の流布」をしたと取り調べを受け、始末書を書かされました。もし、この時地元の保健局あるいは共産党の委員会が真剣に受け止めていれば、あるいは情報を早く公開していれば、世界でこれだけの死者が出ることはなかったかもしれません。その後も肺炎患者は増え続けましたが、地元の保健当局は「人から人への感染はない」と繰り返しました。この情報で警戒を緩めた国もあったのではないでしょうか。

肺炎はその後急激な感染拡大となり、中国当局は巨大都市武漢と外部を結ぶ鉄道・航空路・高速道路を閉鎖、市民を閉じ込めて武漢周辺の都市を封鎖しました。カミュの小説『ペスト』の中のアルジェリアの状況を彷彿とさせる出来事でありました。

「コロナウイルス」はどこからきたのかという問題ですが、野生の蝙蝠由来のウイルスがハクビシンなど他の哺乳類への感染を繰り返し、食品市場で人に感染したという考えが有力である一方、研究所を発源地とする説もあります。中国は二十世紀の後半からコロナウイルスの研究に力を入れており、「武漢の研究所で蝙蝠ウイルスを改変した人工ウイルスを作ったのではないか」「人工でないにしても、蝙蝠ウイルスが研究者に感染し研究所から漏洩したのではないか」などと推測されています。これはあくまで私見ですが、中国は二十世紀の後半から世界征服を目論んでおり、それに使用する兵器のひとつとして、世界で禁止されている生物兵器を極秘裏に開発していたのではないか、そしてそれが何らかの原因で研究所から漏洩して世界中をパンデミックの状態にしてしまったのではないか、などと考えてしまいますが、いずれも真相は藪の中であります。

中国政府が、国内での人から人への感染を認めた時点から五十一日遅れた二〇二〇年三月十一日にＷＨＯ（世界保健機関）は、ようやく世界に「パンデミックとみなせる」と表明しました。ＷＨＯのテドロス・アダノム・ゲブレイェソス事務局長は感染拡大が問題になっても緊急事態宣言の発表を見合わせたり、「中国の疫病対策は素晴らしい」などと絶賛した結果、当時のドナルド・トランプや台湾から「中国寄りである」と激しく批判されました。ＷＨＯが中国から莫大な資金援助に依存していることは事実であり、非常に根深い問題があると思います。

中国はコロナウイルスだけでなく、他にもいくつかのウイルス性の病気の発源地であった過去があります。このことを自覚し、全世界に災害規模のパンデミックを課してきた責任を、中国は少しでも感じているでしょうか。

テドロス事務局長はその後、ＷＨＯが武漢で行ったコロナに関する立ち入り検査の「武漢の研究所からの流出の可能性は低い」とする報告には否定的な立場をとりました。また最近、研究所流出説を唱える論文が多くメディアで伝え始められるようになってきました。しかし一方、中国は再開発の名目で感染拡大の象徴とも言える海鮮市場を取り壊し、コロナからの脱却を内外にアピールしようとしています。さらにデータの隠蔽などを行っているふしもあり、今後、WHOやアメリカによる調査がますます困難、場合によっては不可能になってしまうかもしれません。

新型コロナウイルスに抵抗出来るワクチンがバイオテクノロジーを適用して、比較的短期間で製造出来るようになったのは人類にとって喜ばしいことです。しかしパンデミックの防止になかなか繋がらないとか、接種を受けないなど、ワクチンに対する人々の考え方は様々です。国難克服には強いリーダーシップが必要です。今回のウイルスに限らず、巨大な災害等の危機を乗り越えられるかどうかは、リーダの危機管理能力にかかってきます。今回の新型コロナウイルスをめぐっては世界各国で（中国との政治的関係によって）対応が分かれました。対応が遅れた日本と対照的だったのが台湾です。感染者が一人も出ていないのに二〇二〇年一月十五日の段階で「法定感染症」に定め、二月六日からは中国本土の住民の入国を原則禁止しました。二〇〇三年に流行したＳＡＲＳ（重症急性呼吸器症候群）の処理の反省を踏まえた対応でした。
それぞれの感染状況に伴い、各国で各種の対策が講じられました。特に感染が広がったイタリアでは、特別の理由がない限り全土で外出禁止。イランでは刑務所での集団感染を防ぐため、受刑者約七万人を一時釈放しました。観光大国フランスも生活必需品以外の全店を休業させ、不要不急の外出を禁止しました。日本でも全国の小中高校が休校となり、多くのイベントが開催の延期や中止に追い込まれる異例の事態となりました。各国が危機対応に追われていますが、経済の停滞による世界恐慌を心配する声も強まっています。

もともと、従来のコロナウイルス自体はそれほど怖いものではありません。しかし厄介なのが「突然変異」することで、それが今回の新型コロナウイルスです。この新型コロナウイルスによる感染症は「ＣＯＶＩＤ－19」と名付けられましたが、二〇〇二年から二〇〇三年に中国で大流行したＳＲＡＳと症状などが似ていると分析されています。ＳＡＲＳは中国広東省で蝙蝠のコロナウイルスが人に感染したものと考えられており、感染した中国人が香港に移動して世界に爆発的に広まったとされています。当初、中国はこれをひた隠しにしましたが、結局国内でも感染を食い止めることが出来ませんでした。

新型コロナウイルスの感染は二〇二三年では全体的に減少していますが、二〇二二年では、変異したオミクロンによる第七波により世界的な累計感染者数は約六億三四二万人、死者約六六〇万人となっています。このウイルスは感染を防ぐための免疫を回避する能力が高いとされており、新たなワクチンの開発が急がれますが、筆者にはこの様相はペニシリン（抗生物質）の乱用による「耐性菌」の発生を彷彿とさせます。現代医療をもってしてもいまだ解決出来ないこの問題のように、変異ウイルスとワクチン開発はいたちごっこでますますその終息は見えなくなり、やがてスペイン風邪のように「集団免疫」、あるいは人間から人間への感染を続けて行くうちに無害のウイルスに突然変異することを期待するしかないかもしれません。

振り返ってみると今回のパンデミックも、事前に打つべき手があったのではないでしょうか。先に述べたとおり、スペイン風邪もコロナウイルスもその発生は、中国の衛生的とは言い難い一部の地域からと推測されています。こういった生活環境の向上を中国政府が責任をもって行っておくことで、有害なウイルス発生の機会は少しでも抑えられたのではないでしょうか。さらに重要なのは、ＷＨＯの緊急事態宣言のタイミングで、遅れはもちろんのこと、早すぎても批判されるのが難しいところです。しかし今回の宣言見送りには疑問が残ります。中国政府には抵抗があるでしょうが、早期に宣言を出すことで中国本土に封じ込めることが出来ていれば、世界的なパンデミックは免れたかもしれません。

ウイルスとの闘いは永遠に終わることはないでしょう。ですが、プラネタリーヘルスとして世界的蔓延の恐れのある病理に対し常に監視の目を怠らず、先手先手の対策を講じることで、人類に対する被害を軽減することは可能なのではないでしょうか。現在パンデミック防止への議論がCOP15、27で行われその行方が注目されています。

新型コロナウイルスは政治・経済など社会全体に様々な障害をもたらし、人類が築いた文明がいかに脆弱であるかを露呈してみせました。食事すら楽しむことが出来ず、触れ合うことを奪われた暮らしの中で不安に耐え切れず、死を選ぶ人も増加しています。今こそ社会と人間とが、お互いにどう関わっていけるのか見直されなければならない時なのです。

WHOは、過去のパンデミックからいくつかの留意事項を提示しています。現実に日本が経験したことでもあります。

・パンデミックの拡散拡大のパターンは予測出来ない。
・第一波で影響を受けなかった年齢層および地域は次の波に脆弱の可能性有り。
・感染者の急激な増加による医療機関の需要拡大、いくつかの公衆衛生による介入はパンデミックの拡大を遅らせたことが出来たが止めることは出来なかった。
・ワクチンを最初に受け取ることが出来るのは国内に製造施設がある国である。
・ワクチンと複数の薬の併用が治療効果を強める。
などです。

今後の一応の目標としては、コロナ撲滅というよりも集団免疫の獲得などで、コロナと共存出来る状態になるまで国民一体となって頑張っていかなければならないでしょう。我が国における今回のウイルス拡大防止策は、成功したとはなかなか言い難いものがありますが、WHOの提案した意見をよく検討し、政府には強いリーダーシップを持ってこれらを活かした対策を展開してくれることを期待します。

今世紀、人類はバイオテクノロジーの進化のおかげで、様々な病気に対するワクチンや特効薬の迅速な製造を可能にし、多くの人命を救ってきました。しかし、新しい技術は様々な倫理的・社会的問題を内包していることを忘れてはなりません。

世界は幾度かのパンデミックに苦しみ、各国それぞれで乗り越えてきましたが、先進国と発展途上国とでは国力差異により、その対応には大きな格差があります。人類全てが平等に近代医学の恩恵を受けることが出来るように、ＷＨＯは今回のコロナの反省を含めて組織力・指導力を強化し、保健機能や医療費援助等を行うようにすべきではないでしょうか。

最近も、渡り鳥による鳥インフルエンザで多くの養鶏場の鶏が処分されました。一般に人には感染することはないと言われていますが、何らかの原因で突然変異して人に感染することがあるのは、先述したスペイン風邪の一件でも明らかです。最近の研究によると「人の肺には鳥インフルと結合する受容体があり、感染源と濃厚接触すると感染することがある。ただ、現時点で人の間に広がる可能性は低い」とされており、ＷＨＯは警戒を強めています。

現在、「ウイルスハンター」と呼ばれる人達が次のパンデミック発生を警戒し、世界各国で人獣共通感染症の宿主となる生物の調査をしていますが、調査地域を中国奥地の不衛生地区にも広げてもらいたいものです。また最近の情報によると、病原性以外のウイルスに関する研究が進んでいて、ウイルスは「生物の進化」や「生態系の調節」に関与するなど、地球上のあらゆる生物に関わり合いがあることが明らかになっており、さらに難病の治療に利用することも考えられています。ウイルスの多方面への有効利用研究に期待したいものです。

補記：二〇二二年七月、アメリカの二つの研究チームが新型コロナウイルスについて、中国武漢の海鮮市場をその起源とする研究成果を発表した。市場で野生動物を入れていたかごにウイルスが付着していたことなどから、この市場でヒトへの感染が始まったと結論づけている。中国政府はこの説に否定的な立場を取っており、今回の研究結果への反発が予想されている。

補記【人獣共通感染症】
人間にも動物にも感染する病気の総称。

補記【プラネタリーヘルス】

地球の健康と人間の健康のバランスの取れた公平な社会を目指すこと。

暴走するコンピュータ

コンピュータは、日常発生する仕事の効率化に大きな力を発揮しています。今や大部分の機械にコンピュータは組み込まれ、人間の生活のほとんどはその制御のもとで動いていると言っても過言ではありません。コーヒーメーカーからガスや電気のメーター、自動車にまで全てコンピュータが組み込まれています。今後の課題は、より高性能な半導体の開発などと、さらにどれだけ高度な仕事が可能になるかということです。現在、自動車には様々な状況に応じて自動制御システムが作動します。これを実行するためには、コンピュータが意思決定をしなければなりません。どんな状況下でも自動で走行出来るよう、自動車をプログラミングすることは現実的ではありません。しかし、ＡＩはそれを学習することを可能としました。つまり、全ての意思決定は「自律的」に行うことが出来るのです。しかし残念なことに、ＡＩの進歩は不正行為によってユーザーが被害を受ける危険性も増大させました。テロリストや敵意を持つ国家によって、コンピュータシステムやネットワークが単にダウンさせられるのみでなく、乗っ取られてしまった場合にどれほど恐ろしい結果を招くことになるでしょうか。

サイバー攻撃の代表的なものとして「スタックスネット」があります。ある日、コンピュータセキュリティ会社にコンピュータの動作が遅いと苦情の電話が掛かってきました。電話の主はイランの核施設で、問題を起こしたのが核施設のコンピュータシステムだったのです。軍事施設だけにウイルス対策は万全で、専用の産業用制御システムを使用したものでした。画面上で確認したり、プログラムコードを詳細に調べても、不具合を見つけることは出来ませんでした。そこで、全く同じコンピュータを複数台用意してテスト監視してみたところ、ある特定のシステム制御ソフトが攻撃目標とされたサイバー攻撃だったことがわかりました。この制御システムはドイツのシーメンス社が製造したもので、スタックスネットはこのシステムを乗っ取ったうえで物理的に破壊するようプログラムされたものでした。

悪意のあるプログラムやソフトウェアは「マルウェア」と総称され、スタックスネットはその中で「ワーム」と呼ばれるプログラムのひとつです。ワームの特徴は、寄生すべきファイルを必要としない単独のプログラムとして存在することで、自己増殖を繰り返すという「自律性」にあります。今回の場合、シーメンス社の制御システムを見つけるまでワームは休眠と増殖を繰り返し、見つけてからはシステム全体を乗っ取り、計器の表示は常に正常を保つようプログラミングされていたので、画面上では正常なのに機械が壊れるという怪現象が繰り返されました。結果、施設内の約八四〇〇台の遠心分離機を稼働不能にしたと言われています。

当時、毎日のようにイランの核開発に関する報道がされていました。イランの核開発はアメリカ・ヨーロッパ・イスラエルにとって、何年も前から大きな懸念であり中止させようと躍起になっていたことから、この事件は当時アメリカが

「Olympic Games」のコード名で呼んでいたコンピュータウイルス計画の一種ではないかと噂されています。

サイバー攻撃の対象は、核施設に限らず電力会社等のライフライン関連のシステム、農業、商品産業、精油所、銀行、証券取引所、機械工場のシステムなど多種あります。スタックスネットは自律的に動作するので、目標を与えておけば状況がどうであろうが最後まで仕事をやり遂げるプログラムです。システムを乗っ取る段階から仕事が終わるまで誰の指示も操作も必要としない、まさに高度なＡＩと呼んでも差し支えないでしょう。

暮らしのほとんどがデジタルで支配されている現在、まず大切なことはマルウェアをより身近な問題として受け止めることです。ＩＴ専門家は、世のパソコンにWindowsなど同じシステムが広く使用されていることに懸念を示しています。サイバー攻撃をより広範囲で効果的に行おうとする者にとっては、これほど楽なことはないからです。国内では企業、政府機関、個人へのサイバー攻撃と見られる不審なインターネット接続が年々増加しています。二〇二一年には、一日平均六千五百件が確認されました。特に「ランサムウェア」と呼ばれる身代金を伴う悪質なマルウェアの存在は深刻です。未知のマルウェアの場合、その被害が発覚するまで発見はほぼ不可能と言ってよいでしょう。ならば政府やセキュリティ企業に、あらゆるコンピュータに合法的に侵入してデータやソフトウェアを調べる権限を与えればどうにかなる、と安易に考えている人もいるかもしれませんが、必ずサイバー攻撃から私達を守ることが出来るとは限りませんし、プライバシー保護の観点からも難しいでしょう。

マルウェアにもまして気がかりなのがＥＭＰ（電磁パルス）爆弾による攻撃です。電磁パルスとは、大規模な太陽フレアによって発生する強力な電磁波で、電子機器を損傷・破壊することで送電、通信、交通、ライフライン等のインフラに障害を生じさせます。この電磁パルスを人工的に発生させることで、核兵器を使うことなく大都市や一国を機能不全に陥れることが出来るのです。科学兵器が多用されている現代戦において非常に効果的であり、人体に影響しないという非殺傷兵器として知られています。また、指向性エネルギー兵器として高出力電磁波を標的に収束させて電子機器を焼損させ無力化する方法も開発されています。現実的な脅威となっているにも拘らず、現状ほとんどの電子機器が電磁パルスによる攻撃を想定していないので、早急な対策が求められます。

二〇二〇年、ナゴルノ・カラバフ紛争でアゼルバイジャンを勝利に導いたのは「AI搭載ドローン」だと言われています。敵国上空を目立たないように飛行し、撮影した動画やデータを送り続けることが出来るだけでなく、AIドローンは敵国の兵士や戦車をそれが所持する電子機器の存在から見つけ出して攻撃をすることが出来、しかもそれを自律的に行うのです。たとえドローンが攻撃を加えてくることがなくても、無人機が知らぬ間に街を飛び回り、こっそりと情報を集めていると考えるだけで十分気味が悪いものです。

また現在では、昆虫の体とマイクロコンピュータの電子回路を接続し、行動をコントロールする研究も進められています。使い方を誤ればドローンを上回る脅威となり、大量の蜂・バッタを遠隔操作することで動物や農作物に害を与えることが可能となります。監視カメラを取り付けて、標的の人間を毒殺することさえも不可能ではありません。さらに知性を持つ自律的に行動できるロボットの規模は「ナノマシン」と言えるまで徐々に小さく出来るようになって行きます。

サイバー攻撃の危険にさらされる一方、システムの複雑さがある水準を超えると開発者も予想し得ない事態が発生することがあります。その一例が、二〇一〇年五月に発生した株価の「瞬間暴落（フラッシュクラッシュ）」です。NYダウが僅か数分の間に九パーセントも下落したこの事件は、アルゴリズム取引というコンピュータを使った自動取引の中でも、超高頻度で取引を行う「HFT」が一因であると言われています。自動で売り買いを行うHFTが巨額の売り注文に対して買い向かうと同時に、市場バランスをとるために極端な売り手に転じたことで売り買いのバランスが崩れ、暴落が引き起こされました。こうしたアルゴリズム取引に限らず、人の手を介さず自分で観測し、自分で判断し、自ら目的を達成するコンピュータは精度が上がれば上がるほど、予想外の事態を引き起こす可能性を秘めているのです。

二〇一六年の米大統領選挙で仕掛けられたロシアのサイバー攻撃は、どちらかと言えばテロというよりも情報戦略でハッカーによるハッキングに始まり、リークサイトでの暴露、そしてソーシャルメディアを用いた情報工作を行うというものでした。結果、アメリカ国民の意識を二分するほどの成果をあげた内政干渉と言えます。こうしたサイバー攻撃において、近年一役買っているのが「ディープフェイク」です。これはAIを使って登場人物の顔や姿を、無関係な第三者のものとすり替える動画合成手法です。政治工作や大衆扇動に悪用される危険性が高く、世界各国で問題視されています。ロシア・中国・イラン・北朝鮮は、アメリカを標的としてサイバー攻撃を駆使する「ビッグフォー」と称されており、中でも中国は近年警戒を強められています。

インターネットとSNSの普及は、誰もを発信者であり受信者たらしめました。ネットには数々の誹謗中傷が書き込まれ偏った情報が蔓延し、サイトを運営するデジタルプラットフォーマーは検索履歴を基に、個人の興味・関心に合わせて無数のページや動画を押し付ける、まさに「情報過多」の時代です。

二〇一七年から二〇二〇年にかけて、アメリカの匿名画像掲示板に「Q」と名乗る人物が行った一連の投稿に端を発するのが「Qアノン」と呼ばれる政治運動です。これはアメリカの極右が提唱する陰謀論に基づいているもので、一般的にはカルト宗教とみなされています。二〇二〇年以降、Qアノンの活動は様々なSNSによって拡散され二倍から三倍近くに増加しましたが、現在では各SNSにおいて関連するアカウントの凍結やページの削除がなされています。関連した事件で主なものは、二〇二〇年アメリカ大統領選挙の混乱、二〇二一年のアメリカ合衆国議事堂襲撃事件などがあり、二〇二二年にドイツで摘発されたクーデタ未遂事件の逮捕者も、Qアノン信者でした。陰謀論の内容によってはアメリカ国内で賛同する米国人が三十パーセントになると言われており、SNSによる真偽の定まらない情報の拡散はとどまるところを知りません。

日本でも、強盗団のリーダーがSNSを活用して加担者を募るという新しい犯罪の形が登場し、世間を恐怖に陥れたのは記憶に新しいことです。

開戦以来一年半が過ぎたロシアとウクライナの戦争は軍事的な武力行使とサイバー攻撃などが組み合わさったハイブリッド戦となってきています。ウクライナはロシアのサイバー攻撃に米企業などと構築した官民協力網で対抗してきています。つまり、ロシアに兵力では劣るウクライナが対等以上に善戦しているのは、情報に対するインテリジェンスを常に保ち、戦局に活用しているためなのです。今日の戦争では最重要なことと言えるでしょう。このことを日本について考えると、専門家によればウクライナが受けたサイバー攻撃に現状では耐えられないそうです。自衛隊サイバー防衛隊はアメリカや中国より二〜三桁少ない約五百四十人、組織として一元的に責任を持つ実務機関がなく法制度が整備されていないのが現場だからです。日本政府も遅まきながらとはいえ急速に整備を進めなければなりません。

さらに近年ではペガサスというスパイウェアも登場しています。スマートフォンがペガサススパイウェアに攻撃された場合、ペガサスはデータや通話履歴を密かに閲覧し、メッセージをコピーし、スマホのカメラで持ち主を撮影することが出来ます。また持ち主が知らないうちにマイクを起動して会話を録音することも出来、スマホのアプリ、電子メール、連絡先一覧からデータを取得することで、スマホの持ち主がどこにいるか特定出来、誰と会ったかもわかってしまうのです。米国商務省は、ペガサスの開発元であるイスラエルの監視ソフト開発企業ＮＳＯグループを、悪質なサイバー活動に加担しているとして米国の安全保障・外交政策上の懸念がある取引制限対象リストに加えました。

マルウェアやＥＭＰの存在が今後、さらなる脅威となることは間違いありません。それに対抗し、社会の混乱を避けるにはやや手遅れの感も否めませんが、改めてアナログ的なシステムを見直し、情報の保存などについて再考してみるのもひとつの方法かもしれません。

補記【自律的】
コンピュータの世界で、機械が人間の介入なしに自ら判断を下す時に使う言葉。

補記【ＥＭＰ（電磁パルス）】
非破壊、非殺傷兵器として敵の電子装備を無力化するＥＭＰ爆弾などが考案されている。

バイオテロリズム

地球上に初めて生物が発生して以来、生物はあまねく自然淘汰の影響のもと進化してきました。ホモ・サピエンスは、他のどの生物よりも遥かに広い活動領域を獲得しましたが、やはり限界があり、どれだけ努力しようとも生物学的に定められた限界を突破出来ないというのが暗黙の了解だったのです。しかし二十一世紀の幕が開き、ホモ・サピエンスは自然淘汰の法則を打ち破り始めました。ニューバイオテクノロジーをその後釜に据えようとしたのです。

ニューバイオテクノロジーは、医療・食料・環境など様々な分野で人類に恩恵をもたらしています。例えば、ウイルスに対するワクチンは今や工業製品として短期間に大量生産が出来るようになり、特効薬の開発・製造も可能となっています。しかしこれらの技術は、人類の生存を危機に陥れる面も持っており、さらに人間を被造物とする「**命の尊さの基本概念**」を危うくする可能性をふくんでいることにも気を配らなければなりません。ここでは、ニューバイオテクノロジーの負の面、バイオテロリズムについて考察したいと思います。

生物兵器の歴史は意外と古く、古代ギリシャで有害植物が侵略に使用されたり、神聖ローマ帝国はミツバチを詰めた容器を投げつける「ミツバチ爆弾」を用いたりしていました。また、アメリカ独立戦争で繰り返し発生した天然痘は、「細菌戦」だったのではないかとも言われています。生物兵器は、一九二五年のジュネーブ議定書でその使用禁止が定められましたが、開発・生産・貯蔵は禁止項目ではなかったため、多くの国で研究が続けられていました。日本も例に漏れず、旧日本軍の七三一部隊はペスト菌を中心とした細菌兵器の開発を行っていました。

生物兵器として恐れられているものに炭疽菌があります。炭疽菌は取り扱いやすく耐性も高いうえ、肺に感染すると肺炭疽に罹り致死率が九十パーセントに達します。さらにアメリカではエボラウイルスを致死率の最も高い危険なものとしています。ソビエト連邦では兵器としての炭疽菌研究が行われていたことが明らかになっており、アメリカでは二〇〇一年に実際にテロに使用されました。一九七五年に生物兵器禁止条約は発効していますが、その脅威は全くなくなってはいません。

二〇二二年、人類はヒトゲノムの完全解読に成功し、ガンなどの遺伝子が関与する疾患の原因究明や治療法に大きな進歩を遂げました。しかしこの進歩は、人工的な病原体などの生物兵器を作ろうとする悪意の人間にとっても福音となったのではないでしょうか。ヒトゲノム計画は、結果的にバイオテロリストに格好の道具を提供することになったかもしれません。なぜならゲノム編集により、特定の人種や一定の条件を満たす相手のみを標的とする生物兵器が可能となるのです。そして生物兵器は核兵器製造と違い、高価で大規模な設備や希少な材料を必要としません。今後生物兵器は遺伝子工学を活用することにより、その破壊力を一層高める恐れがあるのです。

こうした生物兵器を使ったテロは恐ろしいものです。しかしさらに恐ろしいことは、既存の細菌やウイルスを改造出来る技術がインターネットなどにより、簡単に入手出来るということです。入手した技術を用いれば、自然界の細菌やウイルスをより致死的で速く感染するものに作り変えることが出来、しかも国家レベルではなく一般人でもそれが可能なのです。あらゆる情報は公開されていると言ってもよく、それを利用して生物兵器を作るのに必要な知識・能力を有している生物学者は世界に何千人といることでしょう。特殊なインフラを持たない小さなテロリスト集団でも、国家プロジェクトと変わらないレベルの生物兵器を作ることが出来るかもしれません。事実、オウム真理教のようなカルト集団が出現しているのです。

今や自然界に生まれたどのウイルスよりも、恐ろしいものを作り出すことが可能となりました。例えばエボラウイルスのきわめて高い致死性と、世界中に驚く速度で拡散するインフルエンザの感染力を兼ね備えたウイルスを作ることさえ出来るのです。現在のバイオテクノロジーは、第二次世界大戦中に開発された原子力に匹敵する影響を人類に与えました。バイオテクノロジーの進歩は、あくまで善意の基に行われなければなりません。ノーベル賞受賞学者ボルティモアによるポリオウイルスの合成は、ワクチンの製造に役立てるためのものでした。しかし、悪意の基に作り出される未知のウイルスは、人類にとってどのような脅威となるか計り知れないのです。ボルティモアの研究成果が生物兵器製造に転用される可能性として、最も心配されていたのはソ連でした。ソ連は生物兵器の開発を大々的に進めており、恐ろしいとされる病気の病原体は全て保有していたからです。ソ連はアメリカとともに一九七二年の「生物兵器禁止条約」に署名し、生物兵器の開発を制限することに合意していましたが、その後も開発を続けていたと考えられています。その後ソ連は消滅しましたが、その時にソ連の生物兵器開発に携わっていた多くの研究者がアメリカや中国・北朝鮮など世界に広がって行き、各国で生物兵器の開発を極秘に進めてきたのです。今やウイルスの合成は、火薬などの製造と同じくらい簡単なのです。新型コロナウイルスの世界的拡大は、野生の蝙蝠由来のウイルスがハクビシンなど他の哺乳類への感染を繰り返し、食品市場で人に感染したのが始まりとされていますが、武漢ウイルス研究所で培養していたウイルスが（中国のことだから管理が悪く）漏洩してしまったのが原因で、WHOに圧力をかけてパデミックの発表を遅らせた、という可能性もいまだにささやかれているのです。

病原体にとって大切ことは、宿主である体や細胞に死なれないことです。従って、ウイルスが細胞に侵入した時に最初にすることは「アポトーシス」の無効化です。宿主の細胞に死なれてしまっては何も出来ません。アポトーシスのメカニズムは生命の基本に関わる非常に重要なものであり、解明を進めるほど生物兵器に役立つ多くの情報を提供してしまうことになります。いつかアポトーシスのメカニズムを応用した生物兵器が作られ、細胞の自殺ボタンを押してしまうようなウイルスが出来るかもしれません。そのウイルスが体内に入り込むと、即座に多くの細胞が一斉に自死を開始し体が溶けて行くのです。恐らく、これは人類が遭遇する身体的障害のうちで最悪のものとなるでしょう。第三次世界大戦が開始されれば、原爆・水爆さらに最悪の生物兵器による、人類を含む生物の大量絶滅は現実のものとなるかもしれません。

補記【アポトーシス】
あらかじめ予定されている細胞の死。細胞が構成している組織をより良い状態に保つため、細胞自体に組み込まれたプログラム。

人口増加と食糧問題

二十世紀の世界は、人口面において爆発的な増加の世紀として人類史に記録されることでしょう。世界の人口は十八世紀半ば頃、先進地域の人口転換の開始を契機として増加率を高め始め、一八〇〇年には九億五千万人、一九〇〇年には十六億五千万人となりました。二十世紀に入ってもなお、世界人口はまさに爆発と呼ぶに値する増加を続けました。中国の増加率が低下したことに合わせ、いったんは低下に転じましたが一九八七年には五十億人を突破し、一九九九年には六十億人に達しました（図－6）。一九九九年の国連による世界人口の将来推計では、二〇五〇年の世界人口は百億人と推定されていましたが、その後二年ごとの改定で九十三億人と見込まれました。しかし、地球規模での人口爆発は依然として続いていて二〇二一年の世界人口は七十八億七千五百万人になっています。世界人口白書二〇一一年版では、世界の最も貧しい国々のいくつかでは出生率の高さが開発を遅らせ、貧困を長期化させていると指摘されています。同白書は、経済的不平等・貧困と社会的不平等の存在が人口増加の原因となっており、その人口増加がさらなる貧困と不平等を生んでいるとしています。

「持続可能な世界」に人間は何人までなら無理なく生きられるか、という命題をアメリカの大学教授が試算しました。世界人口・地球上に存在する資源・人口の変化・エネルギー等を考慮し、世界人口が最大でどのくらいならば人類が絶滅の危機に直面せずに済むのかを検討した結果、「約二十億人が最適」でした。東洋大学の川野祐司教授も「二十億人適正」を提唱するひとりです。教授によれば、アースオーバーシュートデイ（ＥＯＤ）という考え方があり、これは人間が消費する生物資源の量が、地球が一年に再生出来る生物資源の量を超える日のことを指します。一九七〇年のＥＯＤは十二月三十日で、人間による消費と地球の資源再生はほぼバ

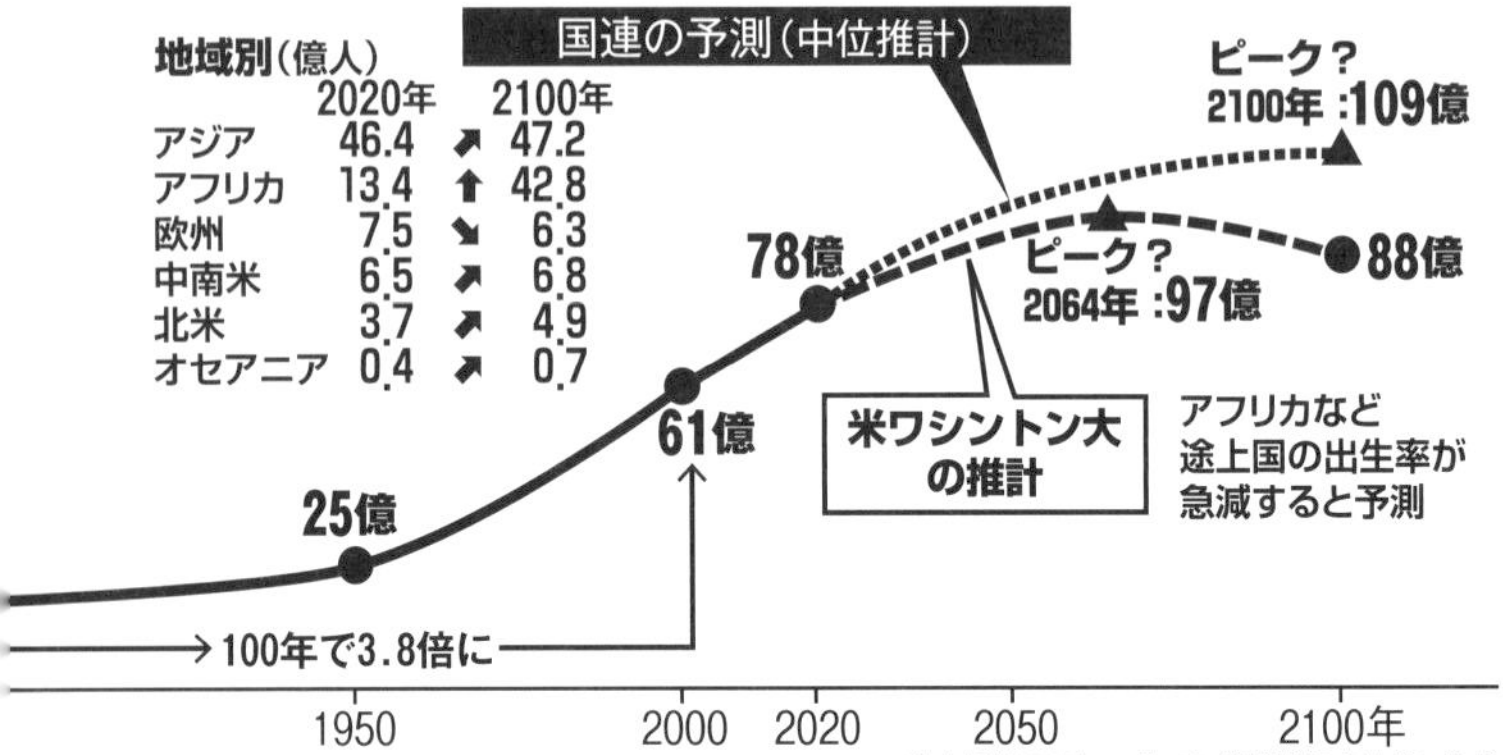

読売新聞2020年11月15日朝刊掲載の図を基に作成

図-6　世界の人口の推移

ランスが取れていました。しかしEODは年々短くなる傾向にあり、一九九六年には十月を、二〇一七年には八月を切り、二〇二二年のEODは七月二十八日でした。つまり一年分の資源を七月二十八日までに使い切り、残りの五ケ月は将来のための備蓄に手をつけるしかない、ということになるのです。ちなみに国別の算出では、二〇二二年の日本のEODは五月六日でした。これを基に教授は、人間の消費は地球の再生能力の一・七倍で、環境の破壊を止めるためには人口を約半分に減らす必要があり、破壊を止めるだけではなく環境改善のためにはさらに半分の二十億人にするのが望ましいとしていま

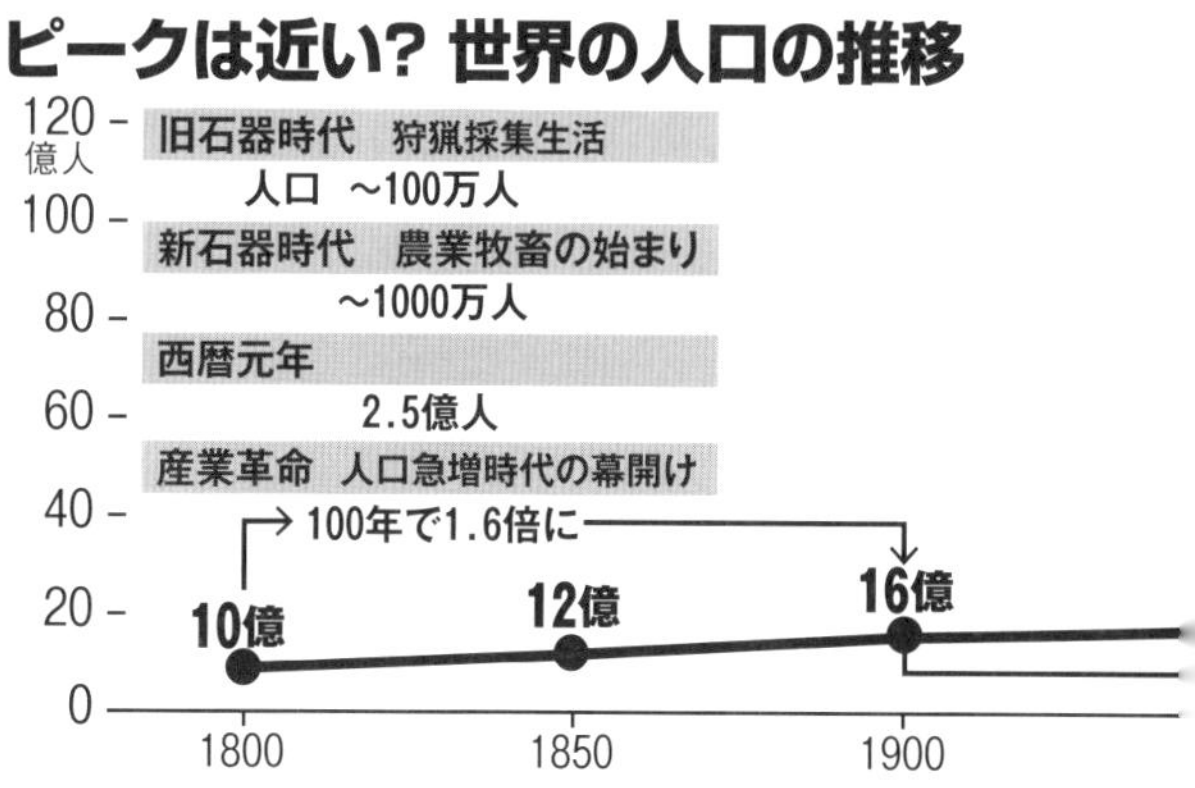

す。

もちろん、アースオーバーシュートデイはあくまで推定値であり、一〇〇パーセントの精度で決定するものではありません。しかし、EODに限らず人間の需要と自然の供給を説明するデータは、一貫して人間の負債が増加する傾向を示しているのです。

続けて川野教授は、多くの国で子育て支援など人口増加策が取られていることを指摘し、社会を維持して行くために次世代の育成を必要としつつも、このままでは生まれてきた子ども達が大人になった時に社会状況が悪化していることがないよう「適切な出生数政策」の必要性を説いています。さらに、現在は届け出制である出産は将来

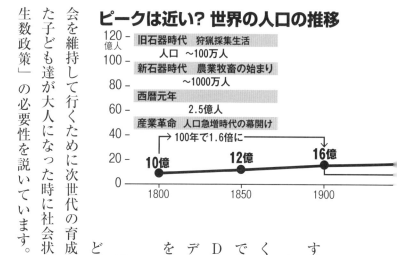

「許可制」となり、子どもを持つためには経済力や教育能力を示す資格取得が義務付けられるようになり、生まれてきた全ての子どもは社会全体で育成するようになるだろう、と予想しています。このことは一応合理的に見えますが、人間社会は玉石混淆《こんこう》でバランスが取れているものと考える私には、子どもの質は良くとも画一的な人間に成長するのではないかと思われ、却って社会崩壊の危険を孕むもののように感じられます。

教授は、今後人口減少社会に向けて最も重要視されるのは、これまで資本主義の下で人口やＧＤＰ等の増加が目標とされ望ましいこととされてきた「増加」マインドのリセットであると説きます。「増加」は、すでに社会面からも地球環境面からも問題を悪化させるものに変わっており、適切な規模についての議論が不可欠であるとし、ＧＤＰのような集計量を政策目標にするのではない新しい経済システムとその指標を開発することが必要であるとしています。

いずれにしても、人類は二十一世紀後半には減速世界に陥って行くのではないかと思われます。日本政府は目先のことに追われるばかりで、近未来に対して無政策のままなのでしょうか。

人口問題は二十二世紀にかけての人類最重要課題のひとつです。当面は現在八十億の人口を何とか維持して行くのが喫緊の問題ですが、そこには農業生産に多くの課題が横たわっています。

世界人口が顕著に増加し始めて以来、「地球が一体どれだけの人口を養えるか」という問題は多くの人々の関心事であり、近年に至るまで様々な人によって調べられてきました。世界人口がこの先百億人になった時、それだけの人に食料をどう行き渡らせるかは重要な問題であります。「間もなく食糧の増産が追いつかなくなり人類は滅亡するにちがいない」と悲観的な予測をする人はずっと以前からいましたが、この考えが誤っていたことは、やがて一人の人物によって証明されます。それは農学者ノーマン・ボーローグです。彼は来るべき食糧危機に備えて「高収量型小麦」の改良に取り組んでいました。何年にもわたる血のにじむような研究の結果、日本の矮性《わいせい》小麦「農林10号」をメキシコ系小麦と交配することにより、新たな品種改良に成功しました。この小麦はメキシコの農家を救い、数年のうちに世界中の発展途上国で栽培されるようになりました。これが後に「緑の革命」と呼ばれることになり、彼の活動の始まりでした。緑の革命は世界中に波及し、ボーローグは歴史上最も多くの命を救った人物としてノーベル平和賞を受賞しました。しかし、緑の革命は同時に人類に大きな弱みを持たせることになりました。それは高収量が望めるようになった結果、世界中の農業が小麦・米・トウモロコシ・イモ類・大豆という五つの主要な作物だけに過度に依存するようになったことです。少ない品種に依存すると、病気や環境変化などが起こった際に食糧供給が一気に減少する危険があります。ある品種が病気で供給が出来なくなれば、他の品種の価格が高騰するのは明らかです。現在の農業は同じ種類の作物を一ケ所で大量に育てる大規模農業が主流になっています。この単式農法は非常に効率的ではありますが、同じ害虫や病気の被害を一斉に受けてしまう脆さがあります。緑の革命は生産性を劇的に向上させ、飢餓に苦しむ多くの人々の福音となりましたが、負の側面も有していました。現代の農業では、新品種を栽培するためには大量の化学肥料や農薬を必要とし、農作業にトラクターなどの耕作機械を頻繁に動かすので大量の化石燃料をも必要とすることです。特に、化学肥料と農薬は生物多様性や生態系にとって最も大きな脅威となっています。アメリカのレイチェル・カーソンは一九六二年に出版した『沈黙の春』の中で、農薬として使う化学物質の危険性をすでに指摘しており、食物連鎖の中で地球上の動植物に広く農薬が蓄積されていることへの警鐘は、今日の環境ホルモンの問題に繋がるものです。微少な量でも環境ホルモンが生物の遺伝子に与える悪影響については、その因果関係が明確にされていないものがまだ多く、今後の研究報告が待たれるところです。当面解決しなければならない重要な問題点は、水の節約・土壌の保全・生物多様性を守る・気候変動に対応することなどでしょうか。

食糧危機はじわじわと忍び寄ってきています。農作物を育てるための基本である農地不足が顕在化する国が増えてきており、ブラジル・アルゼンチン・ロシアなどの食糧生産大国が自国の供給確保を優先するため、食糧輸出の禁止や規制を打ち出しています。同時に、途上国などでは食糧暴動なども発生し危機感を募らせています。そんな中、将来に備えて自国の食糧確保のために国外で農地をあさる「ランドラッシュ」が急速に熱を帯びてきました。

狙われているのはアフリカ、アジア。狙っているのは中国・インド・中東産油国や北欧など、今後の食料需要の急増が見込まれる国々です。主要国の中で食糧安全保障が最も脆弱と言われる日本ですが、世界情勢の様子を見ながら「ランドラッシュ」に参加する意向を見せています。しかし国内の至る所で雑草が生い茂る休耕地が広がる今、海外に農地を求める前に国内の荒れた田畑の問題を解決することの方が先決ではないでしょうか。

現在、農業の手法を変えて約一万年前に農業が生まれた頃に近づけようとする研究が行われています。そのひとつが、従来のような一年生の作物でなく多年生作物を植える方法で、これをすれば植え替えの作業を毎年する必要がなくなります。トウモロコシ・大豆・小麦などを多年生とすれば、作物は地中に深く根を張ることになり、土壌を耕す機会は減り肥料も少なくて済みます。しかし、そのような実用的な作物が開発されたとしても農作業の方法も従来と異なり、その転換には長い時間が必要となります。

今後の人口増加について語るうえで、アフリカをはずすことは出来ません。実のところ、今世紀の半ば頃には約九十億人のピークに達するとしていた予測を国連が訂正したのも、アフリカの人口の伸びが予想以上だったからで、二十一世紀の終わりには三十九億人にまで増加すると見られています。アフリカ大陸は、十億人ですら十分に支えられているとは言えないのに、困ったことに人口が増えるのは貧しい国々ばかりです。ナイジェリアなどは、現在の一億余人から七億人にまでに急増する恐れがあるとされています。アフリカの農業は、どうすればこの人口爆発に対応出来るのでしょうか。農業生産性を大幅に向上させるために、まず必要なのは水資源ですが、アフリカの大規模灌漑《かんがい》施設は国際河川や湖沼であるため利用が非常に制限されます。また、地下水を活用した灌漑農業適地は大土地所有者のものであるケースが多く、小規模・貧困農家は置き去りの状態です。そのため、どうしても雨水に頼ることになります。今後、農業開発と食糧増産のためには、大規模灌漑施設を検討するのではなく、オアシスや雨水を利用した小規模灌漑施設に取り組んで、少しでも生産性を上げることが重要でしょう。

また、アフリカにおいてはヨーロッパの影響で遺伝子組み換え作物が禁止されており、そのことも食料供給の改善の大きな妨げになっています。遺伝子組み換えで全てが解決するわけではありませんが、旱魃や黒さび病を始めとする病気と闘ううえで強い武器になることは確かです。「ゴールデンライス」はβカロテンを多く含む遺伝子組み換え米で、飢餓地域におけるビタミン欠乏を救うために作られたものですが、アフリカでは受け入れが進んでいないのが現状です。いずれにしても第二の「緑の革命」が待たれますが、現在のところ手段が見当たらない状況です。

エネルギーと同様、食糧に関しても人類は急激な変革を迫られています。今世界の各地で生態系が揺らいでいることは、もはや誰もが感じていることでしょう。恐ろしいことに、生態系の崩れは、食糧供給の危機につながります。ポテトチップスなどのスナック菓子も、その原料である農作物は全て生態系の一部であることを認識しなければなりません。農作物が絶えた先に、どのような食生活が待っているかを想像し理解するには、私達がどれだけ植物に依存しているかを考える必要があるでしょう。

食糧問題の解決に使用される技術には様々なものがあり、農業技術の改良に貢献するものも多くありますが、中には従来の農業を根底から変えてしまうものもあるかもしれません。しかし積極的に新しい技術を取り入れない限り、生き延びることは出来ません。特に、近年の世界的な食生活の向上によって需要と供給のバランスが崩れ、近い将来食肉が不足すると考えられています。しかし、世界には食肉を増産するために必要となる穀類生産を大きく拡大出来るような農地は残っておらず、さらに牛のゲップによって発生する温室効果ガスは地球温暖化の原因のひとつとして問題視されており、肉の増産は窮地に立たされています。

そんな中、新たな可能性として注目を集めているのが「フードテック」です。これは最先端のテクノロジーを活用して、世界人口の増加と食糧危機・生産性の向上と環境保護・多様化する食・フードロスの全てに対応し、食の可能性を広げていこうとするものです。持続可能な社会を考えるうえで従来の食肉生産プロセスの見直しは必須であり、植物由来の「代替肉」、動物由来の細胞を加工した「培養肉」、アジア、アフリカや南米などの食文化となっている「昆虫食」などは新たな食の可能性と言えるものです。また、水耕栽培と魚の養殖を同時に行う「アクアポニックス」なども注目されています。

近年では、米国などで野菜や果実等の生産に大規模な植物工場（室内で植物の生育環境を制御し、野菜や果実などを栽培する農業施設）の建設ラッシュとなっています。これは、主に土壌ではなく養液栽培を利用し自然光または人工光を光源として植物を生育するもので、植物の周年・計画生産を可能とするものです。屋内生産のため気候変動や害虫等の被害に遭うことなく安定供給が可能となります。植物工場は露地栽培に比べて、単位面積当たりの収量を十五倍以上に増やせるうえに水の消費量を九十パーセント以上削減出来、都市など土地が少ない場所でも生産が可能です。無農薬など健康に良い農産物へのニーズの高まりも一因と言ってよいでしょう。しかし、植物工場には大量の電力が必要であるので、どのように省エネルギー化するか、安く安定した電力を調達するかが今後の重要問題となってくるでしょう。気候変動による土地の砂漠化や農地の荒廃により、従来の穀物の栽培が困難になる近い未来には乾燥に強い穀物の開発が、牛のいなくなった牧草地には太陽光発電用地と農地を併用するなど様々な工夫が必要となってきますが、緑の革命の技術を十分に活用して行くことでしょう。

今は大規模な畜産場で作られた食肉が世界中に出荷されていますが、近い将来にはそれに代わり各都市の郊外に食肉を培養したり野菜や果物を栽培する工場が作られ、生物科学合成のステーキやハム、ソーセージ、新鮮な野菜などが出荷され、地産地消となる時代が来るかもしれません。

国連食糧農業機関（ＦＡＯ）の二〇二三年生産量予想によれば、現在の世界の穀物生産量は二十八億トン以上。在庫もあるので計算上では世界の人々が十分に食べられるだけの食糧が生産されていると言われています。にも拘らず世界の飢餓人口は最大八億二八〇〇万人、十一人にひとりが慢性的な栄養不足であるという大きな矛盾が起きているのはなぜでしょうか。その主たる原因のひとつに紛争が挙げられます。

世界の小麦輸出量産の四分の一を占めるロシアとウクライナの紛争により、ウクライナからの輸出が低迷し世界中で穀物の高騰を招いています。世界的な価格の高騰の影響を特に受けているのは、農業従事者や、社会保障が脆弱な紛争地域で暮らす人々など、最も危機に対処する力の乏しい人々です。つまり貧しい人々ほど食料の調達が難しくなり、飢えに苦しむことになるのです。

国連世界食糧計画（ＷＦＰ）は、そんな紛争の影響を受けた地域における平和構築に対する貢献や飢餓との闘いに対する支援を行っています。二〇二二年には過去最多となる一億六千万人の支援が報告され、「食べる幸せ」を皆で分かち合うための努力が続けられているのです。

食料問題に直接に関連するものではありませんが、最近注目されている菜食を主体とする「ヴィーガニズム」について触れておきたいと思います。ヴィーガニズムは、肉・魚・乳製品・革製品・ウール・動物実験など、動物由来および動物虐待に関わる全ての製品・サービスを消費しないことで、単なる菜食主義ではなく「人間による動物からの虐待に抗議し、人間が動物を搾取することなく生きるべきである」という主義です。アメリカ・カナダの栄養士協会は、ヴィーガン食は栄養のバランスが十分考慮され、ライフサイクルのどの段階においても適合出来る食事だとしており、オックスフォード大学の研究によればヴィーガン食が世界の主要な地域全てに広まった場合、二〇五〇年までに温室効果ガスの排出を七十パーセント削減出来、最大八百万人の死亡を回避出来ると報告しています。さらに気候変動による被害を減らすことなども含めると、世界全体で五七〇〇億ドル（約七十八兆円）の節約につながる可能性があるとしています。ヴィーガン食は近未来の地球環境に貢献し、健康な食事の見本となるかもしれません。

地震・火山噴火・太陽フレア・地磁気逆転

地震の発生と火山の噴火は、必ず関連しているとは言えません。しかし、富士山の宝永大噴火は四十九日前の宝永地震の直後に発生しており、二〇一一年の東日本大震災の直後には十数個の火山に噴火の兆しが見られました。間もなく噴火の兆候は静まりましたが、このことを鑑みると何か関係があるのではないかと気になります。

地震の発生と火山噴火のメカニズムを理解するためには「プレート」についての知識が必要です。プレートとは、地球の表面を覆う厚さ百キロメートルほどの大きな岩盤のことで、プレートは一年に数センチメートルずつ動いています。

一九一二年、「プレート（地面）」が動くことを初めて発表した人物はアルフレッド・ウェゲナーでした。世界地図で、アフリカ大陸の西岸と南アメリカ大陸の東岸

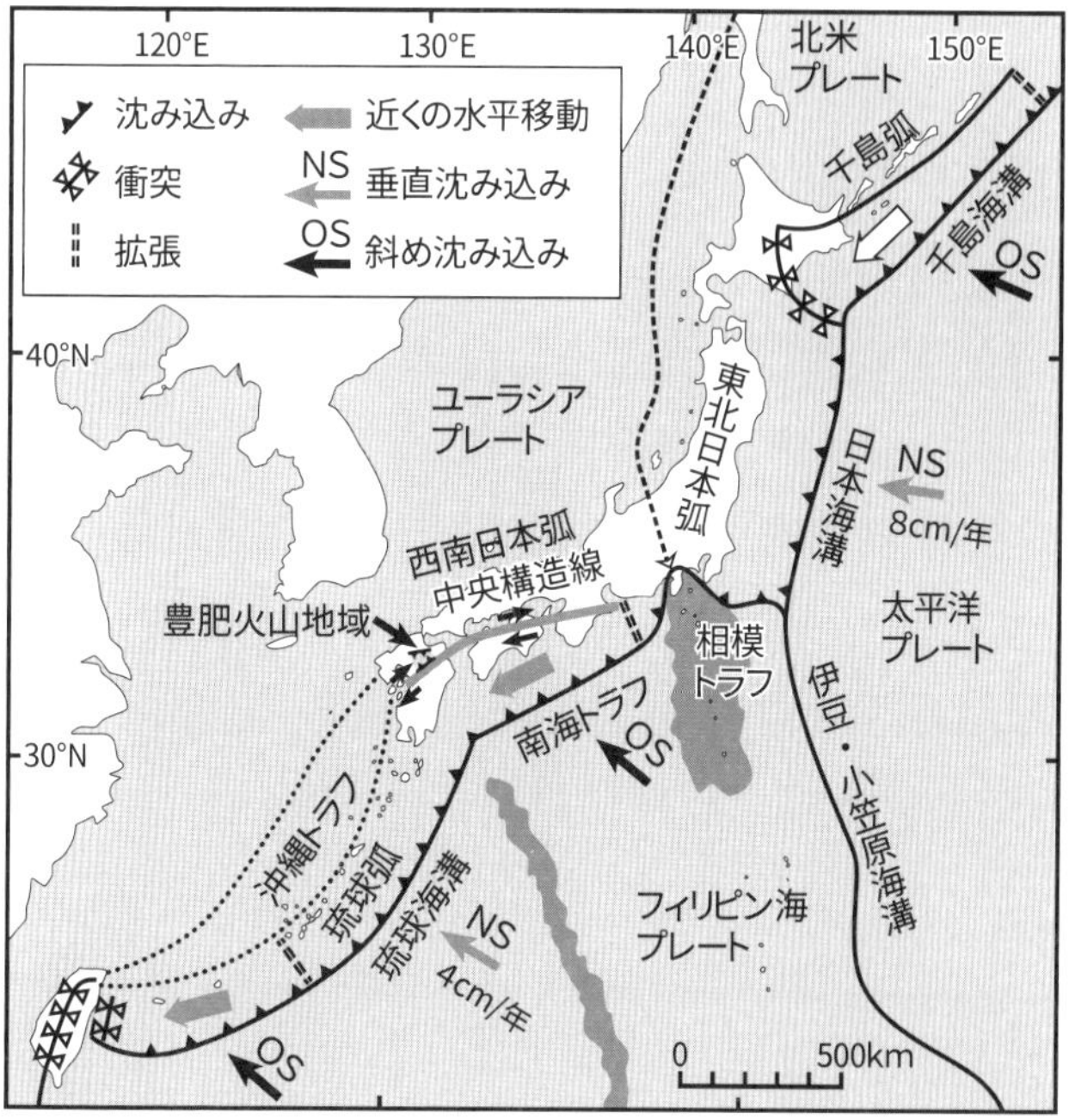

『日本の地下で何が起きているのか』（鎌田浩毅・著　岩波科学ライブラリー266）中の図を基に作成

図-7　日本列島周辺のプレートとフィリピン海プレートの連動

がお互いにジグソーパズルのようにはまりこむ形となっていることから、大陸は分離したのではないかと考え「大陸移動説」を提案しました。彼は様々な根拠を提示しましたが、大陸が動くメカニズムが説明出来なかったため、彼の考えは否定されました。化石や動物・昆虫などの分布を調べるなど研究を続けましたが、結局正しい理論として認められることはありませんでした。ウェゲナーの没後、大陸が動くメカニズムとして「マントル対流」が浮上し、地球内部のマントル対流が大陸を移動させているのではないかと考えられ、一九六〇年代に「プレートテクトニクス」という理論が登場しました。この理論により、大陸移動から地震までプレートの動きが大きく関わっていることが解き明かされたのです（図-7）。

さて、大陸プレートの下に沈み込んだ海洋プレートは、さらにマントルの下に潜って行きます。その際マントルの中に海水が取り込まれることで、マントルが融解しマグマが生成されます。やがてマグマに溶けていたガスが気体になり、体積が急激に膨張するため起きる爆発現象が噴火である、というのが今の学説です。日本列島は四つのプレートの境界上にあります。火山はプレートの境界上に多く出現するため、日本は世界有数の火山国と呼ばれ環太平洋火山帯の中にすっぽり入っているのです。

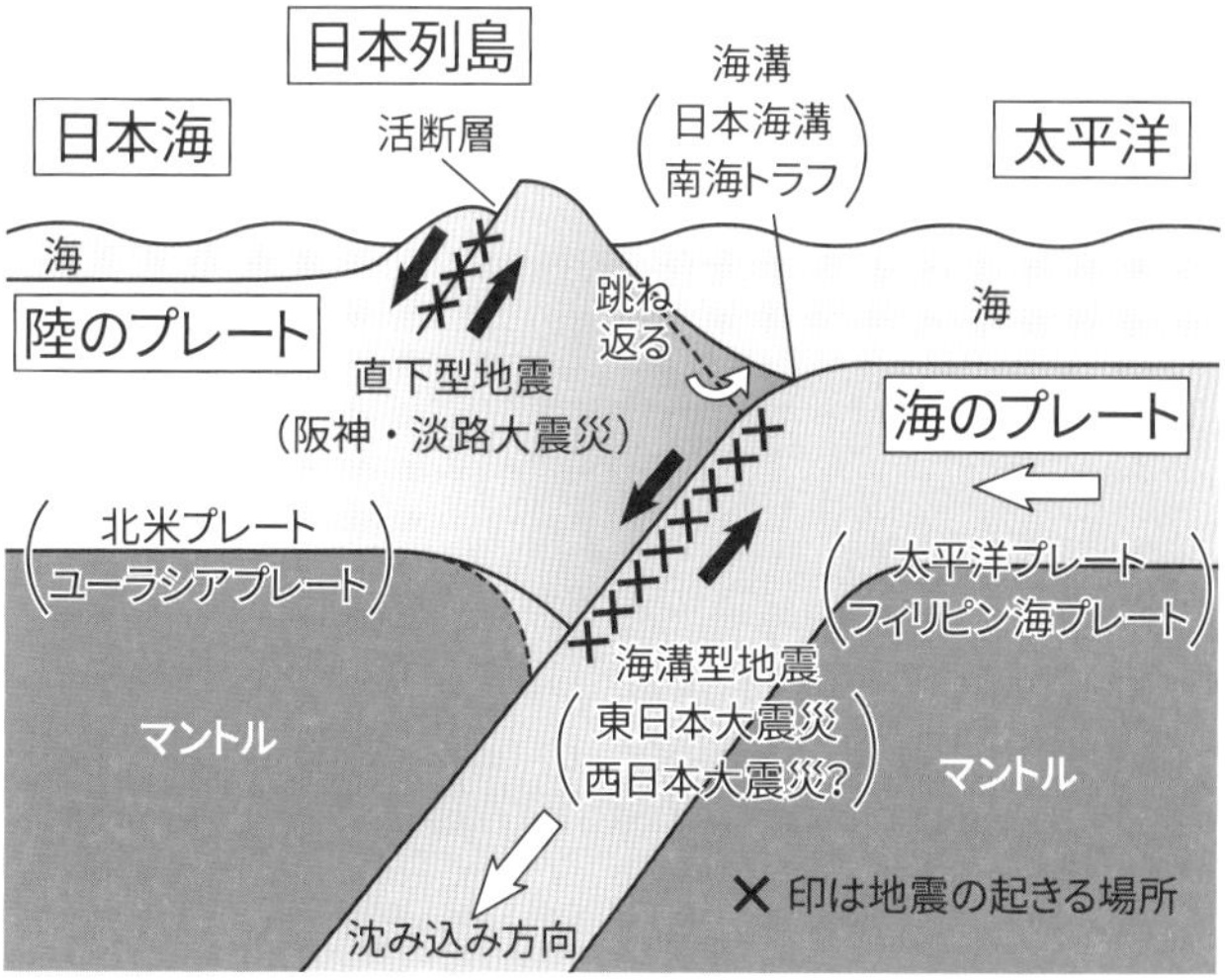

『日本の地下で何が起きているのか』（鎌田浩毅・著　岩波科学ライブラリー266）中の図を基に作成

図-8　日本列島の地下の断面と地震が発生する仕組み

日本列島とその周辺の地下では、北米・太平洋・ユーラシア・フィリピン海という四つのプレートがぶつかり合い、押し合う状態となっています（図－8）。これが日本を地震大国にしている原因です。これらプレートには「大陸プレート」と「海洋プレート」の二種類があります。重い海洋プレート（太平洋・フィリピン海）は、大陸プレートの下に沈み込む時大陸プレートの先端を巻き込み、やがてそれが反発力によって跳ね返ります。この時プレート境界で地震が発生するのです。

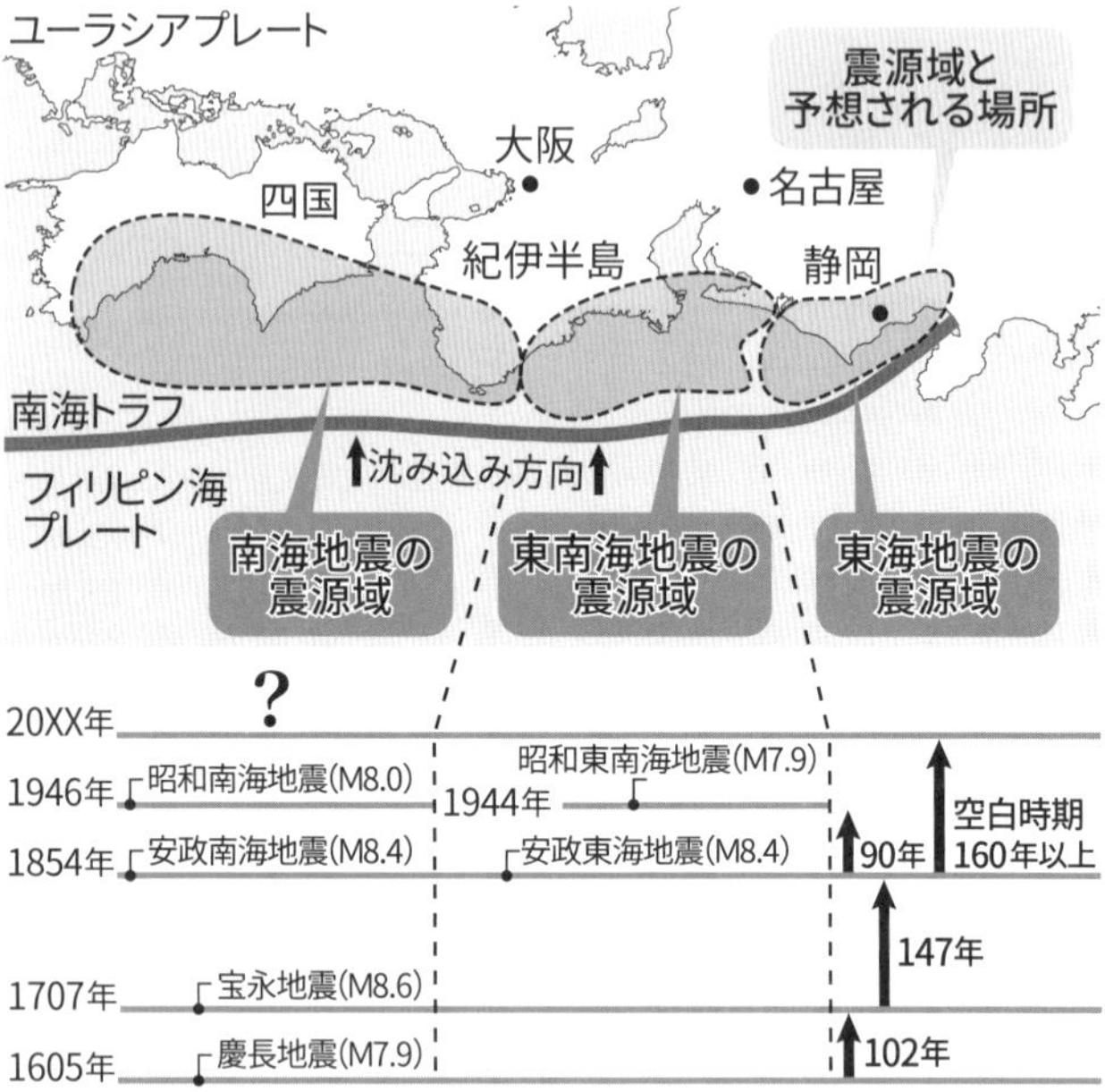

『日本の地下で何が起きているのか』（鎌田浩毅・著　岩波科学ライブラリー266）中の図を基に作成

図-9　東海地震・東南海地震・南海地震が予想される震源域と過去の巨大地震

このような地震を「海溝型地震」と呼び、東日本大震災ではその時に起こる地形の変化により大きな津波が発生しました。大陸プレートが引き込まれる時には陸地の内部に強い力が掛かります。この力が蓄積され限界に達した時、岩盤が破壊され地震が発生します。これが「内陸地震」で一般に「直下型地震」と呼ばれるものです。過去の「直下型地震」は阪神・淡路大震災や熊本地震などで、都市機能が徹底的に破壊され甚大な被害をもたらしました。

すでに述べたように、日本列島は太平洋側から二つの厚いプレートに押されており巨大地震はこの動きに支配されて起きます。また、太平洋の海底には「南海トラフ」と呼ばれる静岡県沖から宮崎県沖まで続く水深四千メートルの海底窪地があり、東海地震・東南海地震・南海地震という巨大地震を繰り返し発生させてきた、最もよく観測と研究がなされてきた海域です（図1-9）。南海トラフの北側には三つの「地震の巣」があり、それぞれが先に述べた三つの大地震を引き起こした場所で震源域と呼ばれ、一部は陸地にも差し掛かっています。三つの震源域は同時に活動して巨大地震を起こすこともあり、その歴史的経緯に地球科学者は着目してきました。

この震源域における過去の地震の中で、三回に一回は超弩級の巨大地震が発生したことがわかっており、西日本ではおよそ三百年から五百年の間隔で、特に規模の大きい地震が起きていたことになります。次に予想されるのは、まさにこの三回に一回の番にあたる三連動地震です。この三連動地震は比較的短い期間に連続して活動することもわかっており、その順番は最初に名古屋沖で東南海地震が発生し、次が静岡沖の東海地震、最後に四国沖で南海地震が起きるというものです。地震発生の年月日を特定することは出来ませんが、過去の経験則やシミュレーションの結果から地震学者達は、誤差を見込んで二〇三〇年〜二〇四〇年に起きると予測しています。この点は、いつ動くともわからない活断層が引き起こす陸の直下地震とは状況が大きく異なります。

ちなみに、二〇一一年の東日本大

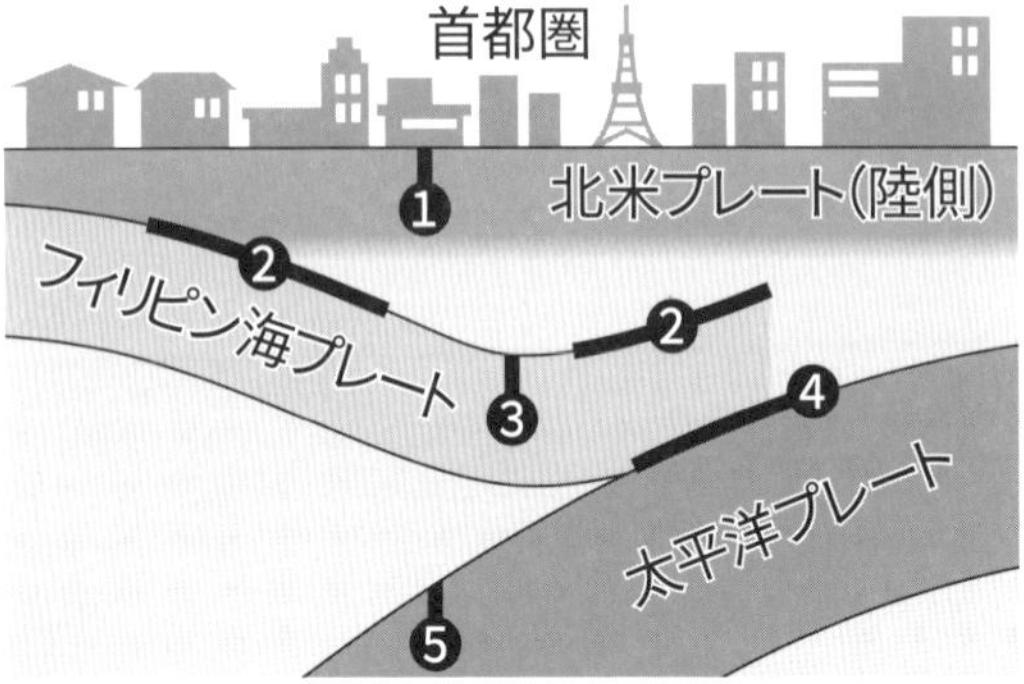

❶陸側プレート内の浅い地震(立川断層帯など)
❷フィリピン海プレートと北米プレートの境界(1923年大正関東地震など)
❸フィリピン海プレートの内部(1987年千葉県東方沖地震など)
❹フィリピン海プレートと太平洋プレートの境界
❺太平洋プレートの内部

『日本の地下で何が起きているのか』(鎌田浩毅・著　岩波科学ライブラリー266)中の図を基に作成

図-10　首都圏の地下にある3枚のプレートと想定される地震の震源(内閣府による)

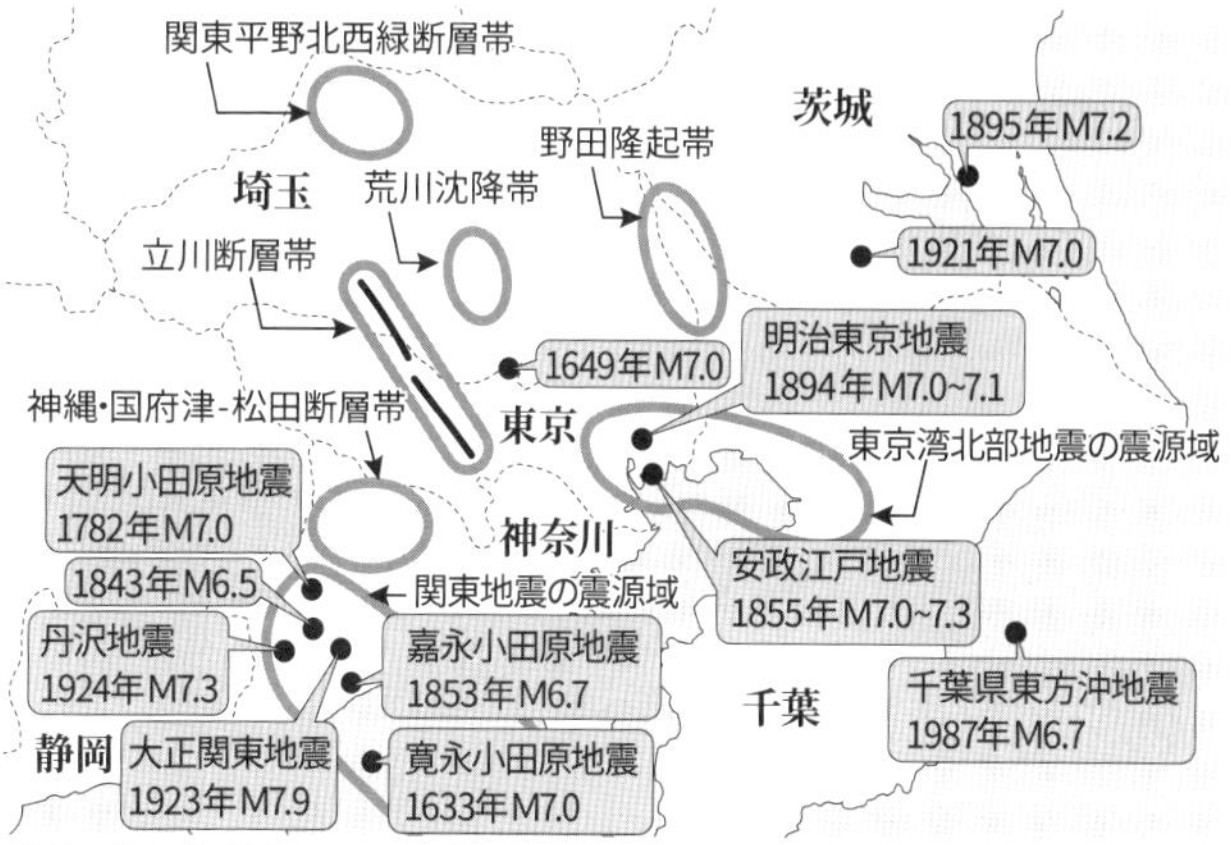

『日本の地下で何が起きているのか』（鎌田浩毅・著　岩波科学ライブラリー266）中の図を基に作成

図-11　首都圏周辺の活断層と過去に起きた大地震の震源

震災を発生させた原因は東北・関東沖の太平洋プレートでしたが、南海トラフの主役はその西隣にあるフィリピン海プレートで、この際に放出されるエネルギーが地上に達して激しい振動となり、海域では海底の隆起によって大量の水が津波となって海岸に襲ってくることとなるのです。

首都圏は北米プレートの上にあり、その下にフィリピン海プレートが潜り込み、さらにその下に太平洋プレートが潜り込んでいます（図-10）。こうしたプレートの境界が一気にずれたり、地下の岩盤が大きく割れたりすることで、様々なタイプの地震が発生します。

いつ何時に不意打ちにあっても不思議はないと覚悟して首都圏に住まなければならないのです（図－11）。

通常の地震はこのプレートに急激なひずみが発生することで起きますが、断層がゆっくり動くために私達が揺れに気づかないような「スロースリップ」と呼ばれる現象があります。近年、このスロースリップの巨大地震との関連性が指摘されており、巨大地震の発生メカニズム解明のため、その観測精度を大幅に上げる努力が進められてきています。

地震は人類に非常に大きな被害を与えるものですが、私達は火山の巨大カルデラ噴火のように人類を滅亡させるような超巨大噴火をまだ一度も経験していません。火山活動が比較的静穏な約一万年の間に近代文明を築き上げてきたのです。しかし、過去には人類や文明を滅亡の危機に陥れ、さらに地球上の全ての生命を絶滅させかけた超巨大噴火の存在も知られています。

西暦五三六年、ある地球規模の大異変が起きました。それは世界各地の古文書・

年代記・伝承などに記されており、異常寒波・自然災害・飢饉・疫病発生などの結果、政変や文明の崩壊を招いたことが伝えられています。ヨーロッパ・中東・アジアの一部は十八ケ月にわたって昼夜を問わず暗闇となり、過去二千年間で最も寒い気候が十年間続いたこの時代は「闇の時代」とも呼ばれました。

この異変を引き起こした可能性が最も高いのは超弩級の火山噴火だと見られており、噴火規模の巨大さから見てインドネシア島とスマトラ島の間のクラカタウ火山であるとされています。六世紀半ばに地球規模の異変があったことは、歴史学以外にも地質学・古気象学等の研究者から報告されています。太陽が十八ケ月にわたり光を失ったとされ、農業は大打撃を受け人口も激減したと思われます。噴火による寒冷化現象は「火山の冬」と呼ばれます。

日本の歴史ではちょうど飛鳥時代にあたり、『日本書紀』によれば安閑天皇の世は平穏でしたが、宣化天皇の時代になると状況は一変します。宣化元年（五三六年）五月の詔には「食は天下の本なり。黄金万貫ありとも、飢を療すべからず。白玉千箱ありとも、何ぞ能く冷を救はむ（食は天下の本である。小金が万貫あっても飢えを癒すことは出来ない。真珠が千箱あっても凍えるのは救えない）」とあり、西暦五三六年から五三七年にかけて、大規模な飢饉や気候の寒冷化が起きていたことをこの詔は物語っています。大多数の人間が餓死・凍死し、雑草・樹皮ばかりか人肉までも食していたであろうことは想像に難くありません。

一般に大規模火山噴火による被害は広範囲に及ぶので、もしも今桁外れの規模の火山噴火が起きるとその「潜在的破壊力」で、全世界の死者は十億人に及ぶと推定されています。さらに原子力発電所が被害を受けた場合、近代生活の基盤に被害が及ぶだけでなく放射性物質の放出と拡散により、さらに複雑で悲惨な様相を呈することになるでしょう。我々はこんな時限爆弾を抱えて生きているのです。

東京都の四倍の広さを有するアメリカのイエローストーン国立公園は、かつて巨大な火山があった地域です。二〇一八年、隣接するグランドティトン国立公園で三十メートルの巨大な地割れが出現しました。英国紙では、地下のマグマの活動による火山地震活動で出来た可能性に言及しており、もしも火山活動が活発になっているとすれば無視出来ない事態です。イエローストーン国立公園の巨大火山が噴火した場合どうなるでしょうか。周辺に住む八万七千人は火山ガスで直ちに窒息死し、溶岩流や火砕流等は半径千キロメートルの範囲に及んで全米三分の二の国土が居住不可能になってしまう可能性があります。その爆発力は、過去最悪と言われるピナトゥボ火山噴火（一九九一年）の百倍以上に達すると見積もられています。被害はアメリカ国内にとどまらず、噴き上げた火山灰や二酸化硫黄が三〜四日以内に偏西風に乗ってヨーロッパ大陸からアジア大陸に届き、日光が遮断され地球の平均気温が低下するでしょう。これ以外にライフラインが機能不全になり、生活全体に重大な支障が生じることとなります。世界中の農業、畜産業は降り注ぐ酸性雨により大打撃を受け、大規模な食糧危機にも繋がります。地球の平均気温は、約十℃下がった寒冷期が最大で十年ほど続き、イエローストーンレベルになれば全地球に氷期が訪れることになるかもしれません。
イエローストーンは六十万〜七十万年程度の周期で巨大噴火が起きており、前回の噴火からすでに六十万年余りが経過しています。米地質調査所の発表によれば、イエローストーンで巨大噴火が起きる確率は七十三万分の一で現在のところ噴火の兆候はないとのことですが、近年二百回を超える群発地震が起きていたり、自然災害に敏感なバイソンなどの動物がイエローストーン国立公園から逃げ出しているという報告もあります。果たして、これらは噴火の兆しなのでしょうか。

日本の巨大噴火（破局噴火）の過去を調べた結果、過去十二万年間に十八回あったことがわかっており、これは六千年に一回の割合となります。火山の巨大噴火は溶岩流・火砕流・噴煙・火山灰などが発生することで、地震より広範に被害をもたらします。最後の巨大噴火は、薩摩硫黄島周辺海域での鬼界カルデラ噴火で、今から七千三百年前に起きました。海底火山から噴出した火山灰は、九州・西日本・近畿・関東・東北全域を広く覆ってしまうほど激しいものだったと推測されています。この噴火は南九州を壊滅状態に陥れ、当時栄えていた縄文文化を根こそぎにしてしまいました。その後の海底探査により、噴火で生じた巨大な陥没地形が確認され「鬼界カルデラ」と名付けられました（図－12）。

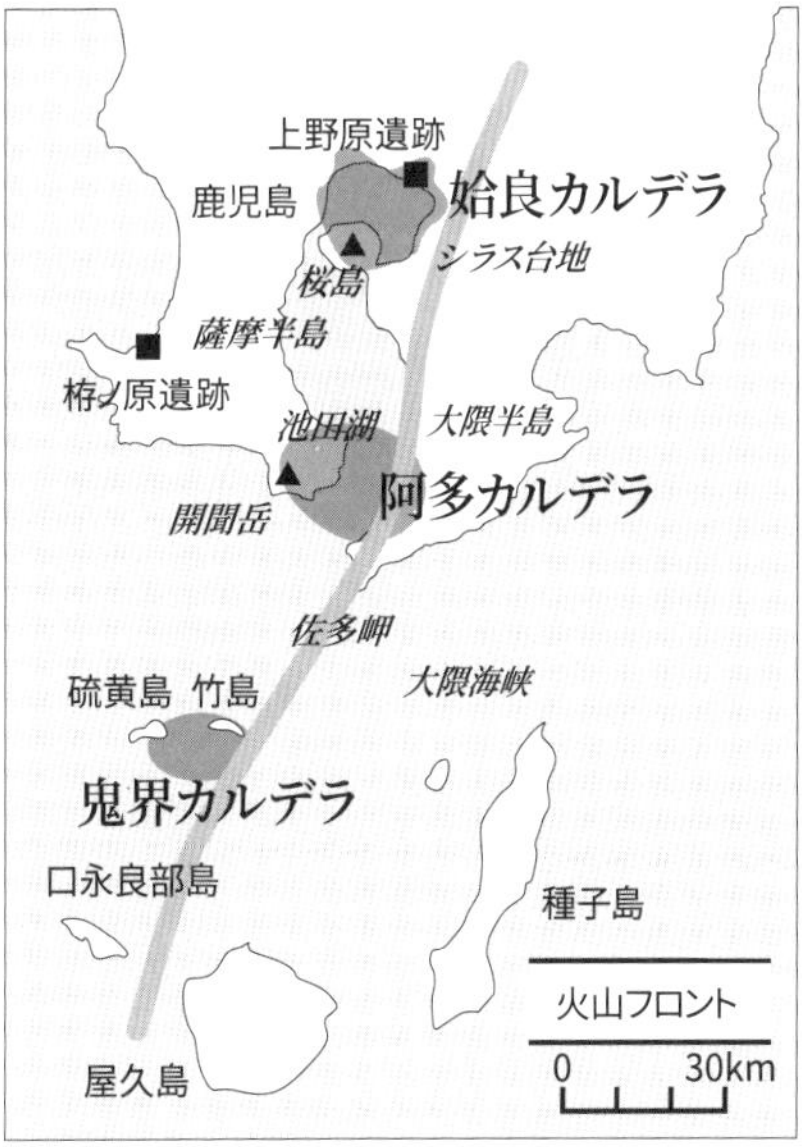

『歴史を変えた火山噴火』（石弘之・著　刀水書房）中の図を基に作成

図－12　九州南部に連なる巨大カルデラ

さらに遡ること二万九千年前、姶良火砕噴火により噴出した高温の火砕流は、南九州を焼け野原にして広大なシラス台地を残しました。噴き上げられた火山灰は成層圏に達し、朝鮮半島、近畿・関東・東北地方に降り積もりました。この時出来た「姶良《あいら》カルデラ」は鹿児島湾の北半分を占めて

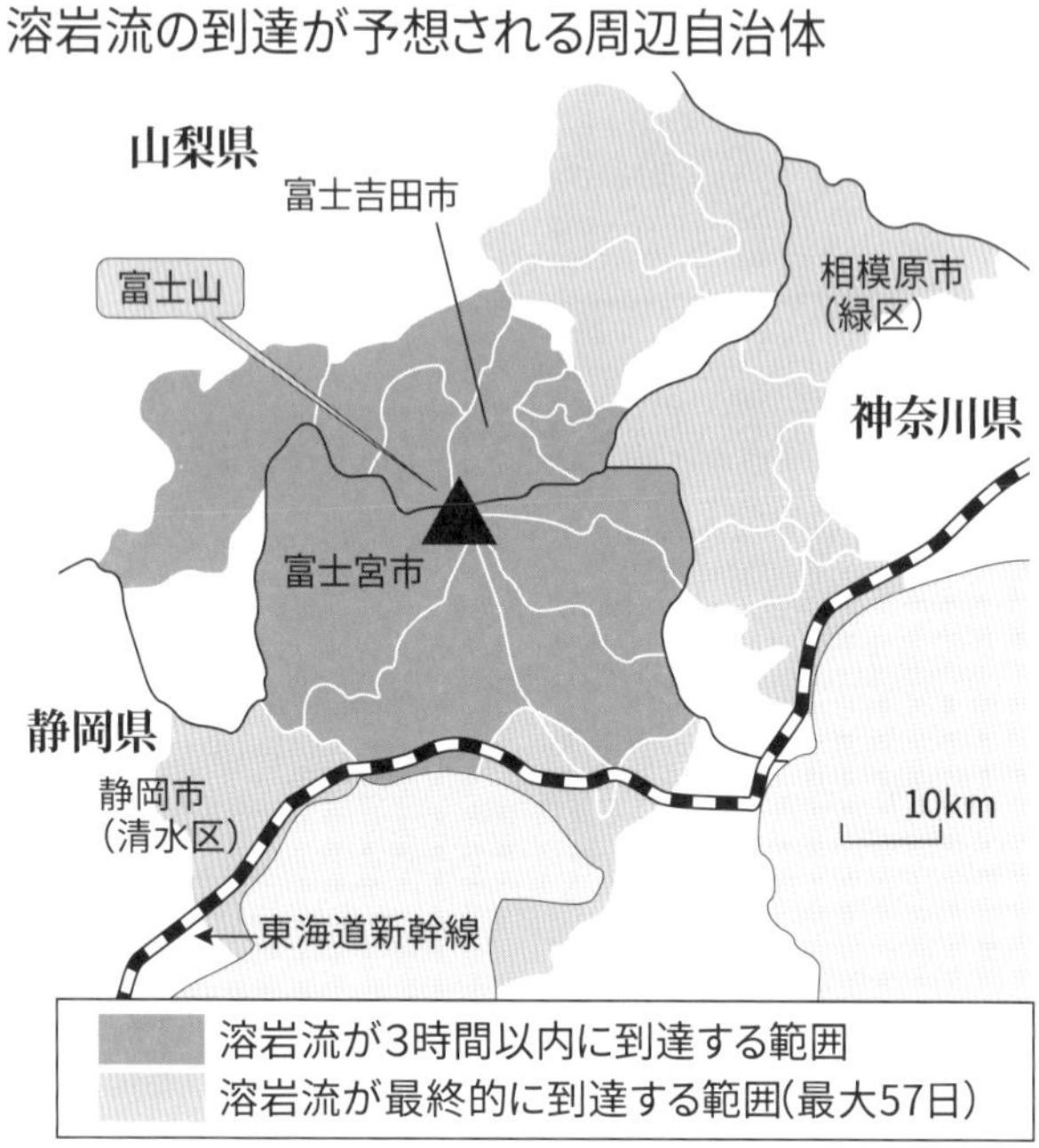

『読売新聞』2022年4月29日朝刊掲載の図を基に作成

図-13　富士山の噴火

おり、桜島はこのカルデラの外輪山の一部とされているのです。現在、九州のみならず日本にはカルデラが多く存在しています。

二〇一九年十一月の鬼界カルデラ火山の外輪山である薩摩硫黄島の噴火は、一般には関心が薄いようでしたが、火山の専門家は巨大カルデラ火山の再噴火の前兆ではないかと注意深く観測を続けています。再噴火し

富士山の噴火で発生する可能性がある主な火山現象と基本的な避難方法

	溶けた溶岩が連続して地表を流れる。市街地では人が歩く程度の速さ（一部要支援者を除き、噴火後に徒歩で避難）
	細かく砕けた岩石が空気を取り込みながら斜面を下る。時速100kmを超えることもあるが、到達範囲は比較的狭い（噴火前に避難）
	岩石やマグマが細かく砕け、風で広範囲に広がる（原則、噴火後に避難）
	火口から放出される岩石片。大きな噴石は高速で地上に落下するが、到達範囲は比較的狭い（噴火前に避難）。小さな噴石は数分から数時間で比較的広範囲に広がる（原則、噴火後に避難）

た場合、過去の例を考えると日本のほぼ全体が壊滅的打撃を受けることは間違いありません。

富士山の噴火は、一七〇七年の宝永大噴火を最後に約四百年経過しており、過去のデータを踏まえるといつ再噴火が起きてもおかしくないとされています（図－13）。現在は江戸時代と異なり、富士山の噴火に関連した数多くの測定器が配置されているので、気象庁から正確な噴火の日時を示すことは困難であっても噴火に関連する情報は適宜報告され、避難に関する準備を整えることが可能となっています。ひとたび噴火が始まれば、噴石・溶岩流・火山ガス・火砕流などは主として静岡県と山梨県、さらに神奈川県にまで及ぶとされています。さらに火山灰の被害は、偏西風の影響で静岡・山梨はもとより、東京・神奈川・埼玉・群馬・千葉など関東地方全域に広がると推測されます。溶岩や火砕流等による被害は重大ですが、それ以上に火山灰の降灰による被害はきわめて深刻で、広範囲に及ぶその影響は現代社会においては計り知れません。道路の通行障害、鉄道の一斉運休、送電線などの事故による停電、浄水場の機能不全による送水停止など、ライフラインの破壊が噴火後三時間くらいで発生することになるのです。さらに避難は徒歩でしか出来ず、雨が降ると木造家屋では火山灰の重さが増し家屋が倒壊する恐れも出てきます。除去が必要となる火山灰は約五億立方メートルと想定され、復旧にはかなりの時間を要するでしょう。日本中が政治・経済的に大混乱をきたした果てに、最も懸念されることは東京の首都機能喪失です。このことを防ぐために、予め首都機能を全国に分散しておくべきではないか、と筆者は考えます。

富士山に関わる火山災害として、噴火以上に最大級の被害をもたらす現象が「山体崩壊」です。富士山は昔から美しい円錐形だったのではなく、その歴史の中で幾度となく山体崩壊と噴火を繰り返した結果、現在の姿になりました。山体崩壊の際に崩れた岩塊は「岩屑なだれ」として高速で流下し、山麓に甚大な被害を与えます。約二九〇〇年前に起きた山体崩壊では、二立方キロメートルに及ぶ山体が破壊されたとされていますが、実はこの時の山体崩壊は噴火が引き金ではなく、富士山近辺で発生した直下型地震によって引き起こされたと考えられています。二〇一二年の静岡県の防災会議では、富士山が崩れると最大四十万人が被災すると発表されました。しかし、山体崩壊は噴火に比べて発生の確率や頻度が低いため、ハザードマップの整備が進んでいないのが現状です。

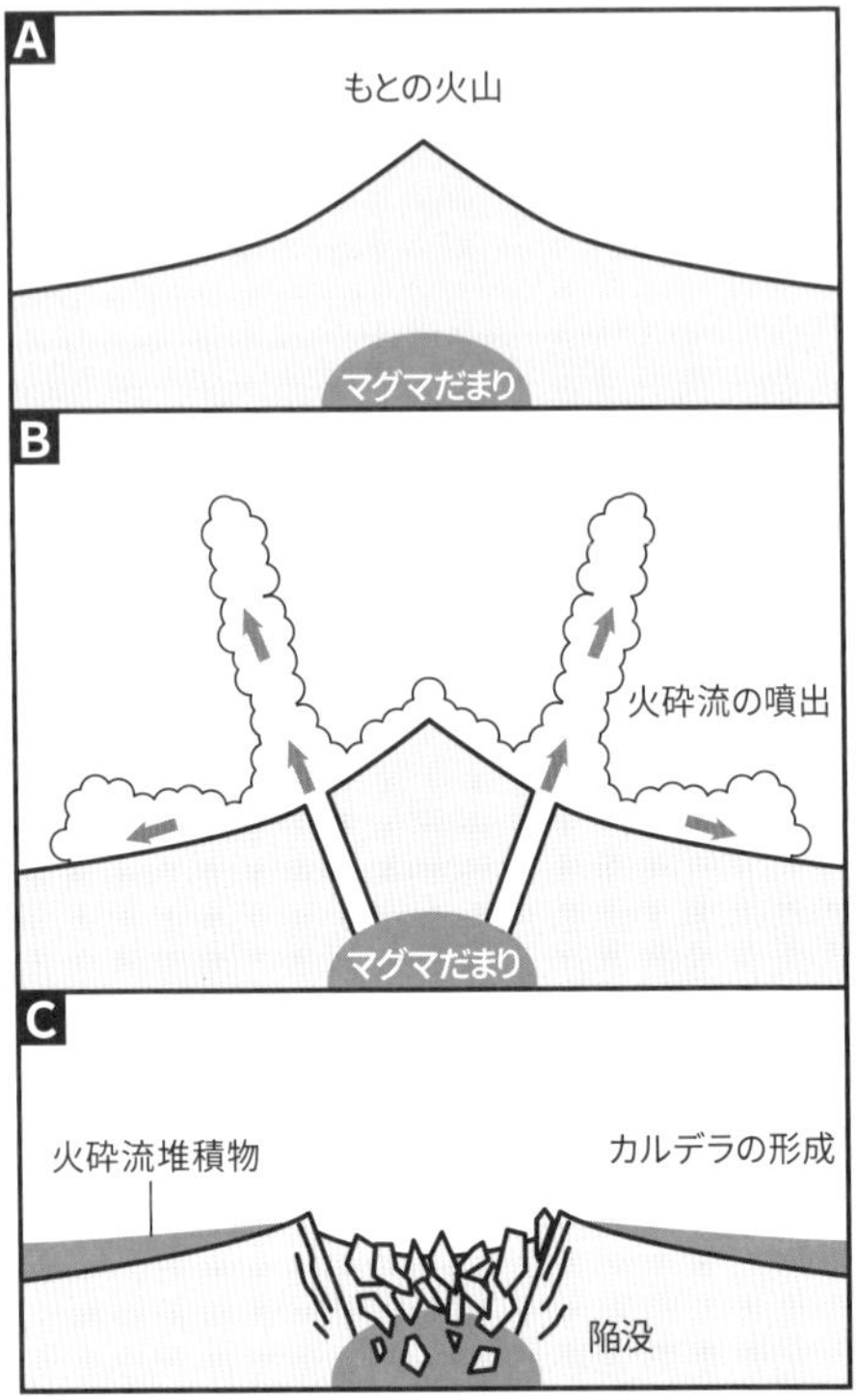

『日本の地下で何が起きているのか』（鎌田浩毅・著　岩波科学ライブラリー266）所収の図を基に作成

図−14　火砕流の噴出と カルデラの形成

過去に何回か大噴火を起こした阿蘇火山の広大なカルデラのように、現在人間の住居、牧草地あるいは大きな耕作地などになって多くの人々の生活の基盤となっている所も少なくありません。再噴火が起きた場合の悲惨な被害を避けるため大規模で詳細な地学的調査を行い、現在利用出来る技術をフル活用することで大地震・大噴火を予想しつつ、周到な避難計画を構築する必要があります（図－14）。

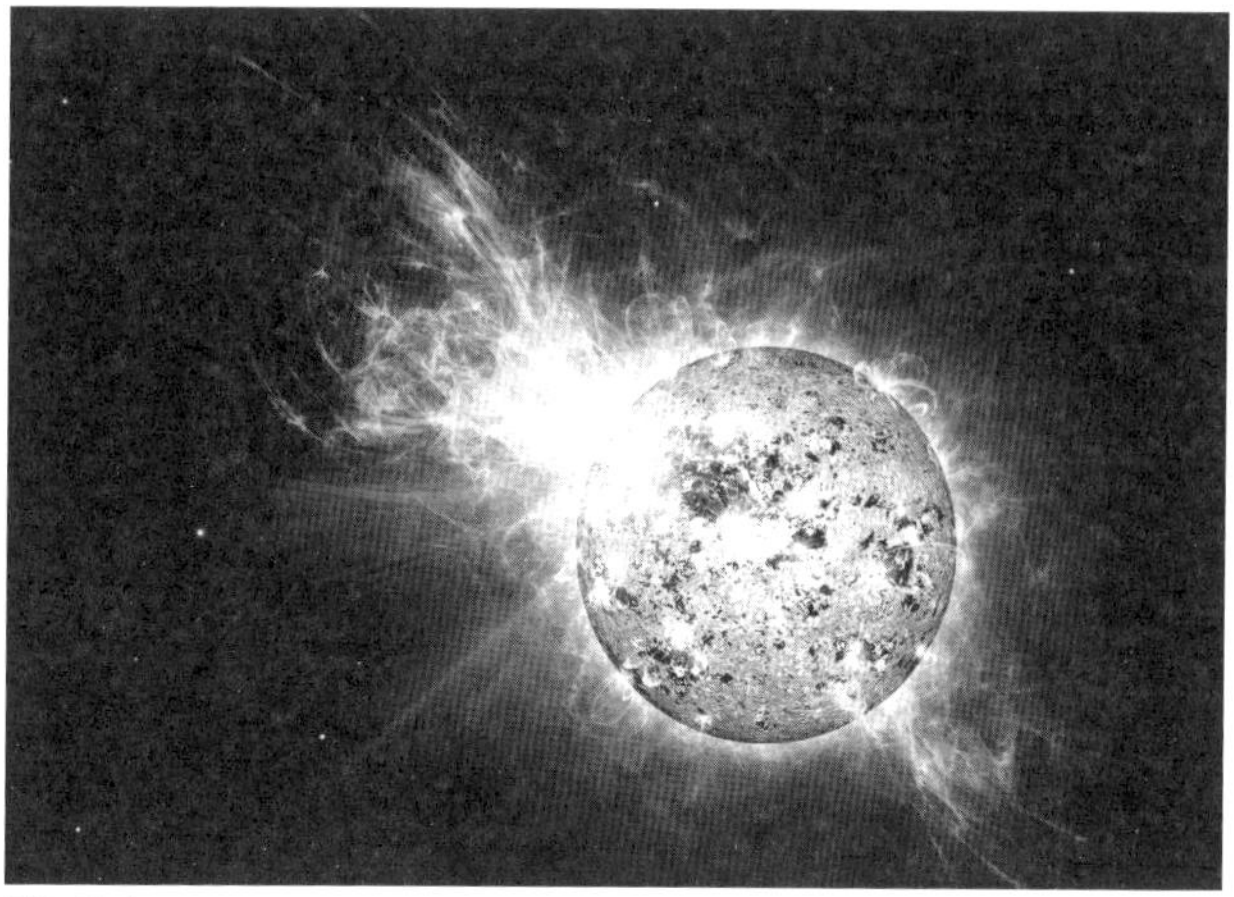

写真：Pixabay

図-15　太陽スーパーフレアの発生

個人の防災について東日本大震災以後「率先避難者」という言葉がキーワードとなっています。これは身近に危険の兆しが迫っている際に、自ら率先して危険を避ける行動を起こす人のことを言います。津波などで避難する場合に自分の身を守ることに加え、他人に声をかけて救い合うことが出来ます。このことは津波以外の災害にも役立つのではないでしょうか。

人類は地震や火山噴火に抗うことは出来ません。千年に一回の大地震だけでなく、一万年に一回の巨大噴火でさえいつ起きても不思議ではなく、日本列島の大部分が火山灰で覆われた時期が何度もありました。しかし、こうした変動地帯に暮らしているにも拘らず我々の祖先は命を繋げてきました。これらの試練に生き抜く能力を我々は持っているのでしょう。

地震、火山噴火災害以外にも、天体の爆発である太陽フレア（太陽における大型爆発現象）があり、これについても触れておきたいと思います。二〇二二年二月には、アメリカの宇宙関連企業が打ち上げた人工衛星四十九基のうち四十基が太陽フレアにより機能停止に陥り、軌道を外れて大気圏で燃え尽きるという事故が起きました。

太陽フレアは、小規模なものであれば一日に三回ほど起きているのですが、大規模なフレア（スーパーフレア）が起きると、電気を帯びた粒子を含む高圧のガスや、強いエックス線などが放出され、これにより地球周辺の磁場が乱れ通信障害や人工衛星の故障などが引き起こされます（図－15）。また、強力な電磁気により送電線に大量の電流が流れることで高圧変圧器が故障し、大規模な停電が発生することなどが想定されます。一九八九年三月の磁気嵐ではカナダのケベック州で九時間に及ぶ広域大停電が発生し、約六百万人が影響を受けました。二〇一二年七月に発生した巨大フレアによる太陽風は地球の軌道上を通っており、発生があと数日遅ければ地球に直撃したと言われています。もし直撃した場合の被害規模は想像を絶するものです。次の十年間に同程度のフレアが実際に地球を襲う確率は十二パーセントであると推定されていますが、太陽の活動周期は約十一年なので、次のピークは二〇二五年頃と見られています。電力網が世界規模で破壊された場合、生産活動はほとんど出来なくなり経済的な大損失を受けることは間違いありません。人工衛星の機能不全はGPSの精度を低下させ、航空機・船舶の運航や自動運転車の走行に支障をきたすばかりか、衝突事故の恐れも指摘されています。人工衛星を活用したGPSや携帯電話は、いまや重要な社会基盤となっており、これらが大規模かつ長期間機能が麻痺した社会はどうなってしまうことでしょうか。

アメリカでは太陽フレアを国家リスクのひとつと位置づけ、対策を進めています。日本でも国の研究機関が観測や予測を行っていますが、リスクが広く周知され対策が取られているとは言い難い状況です。次の大規模太陽フレアに対して電力会社や宇宙関連企業は、被害を想定した設計や運用を検討すべきでしょう。特に通信企業は重い責任を担っています。携帯電話網が障害を受ける事態に備えて、アナログシステムの見直しを提案したいと思います。公衆電話網の維持はひとつの案でしょう。利用者側も、過度に携帯電話に依存するリスクを認識して、固定電話を残しておくことは自衛策として他の災害の時に役立つことと思います。通信システムを基盤とした現在の生活ではシステムの混乱は日常生活にも一時的にかなりの影響を与えるので注意しなければなりません。

他の災害と同様に人類は太陽フレアを避けることは出来ません。太陽フレアの地球上の生物に対する影響は現在不明ですが、油断は出来ません。宇宙天気予報の精度を向上させ、被害の程度や範囲の予測精度を高めて対処を行い、減災に努める必

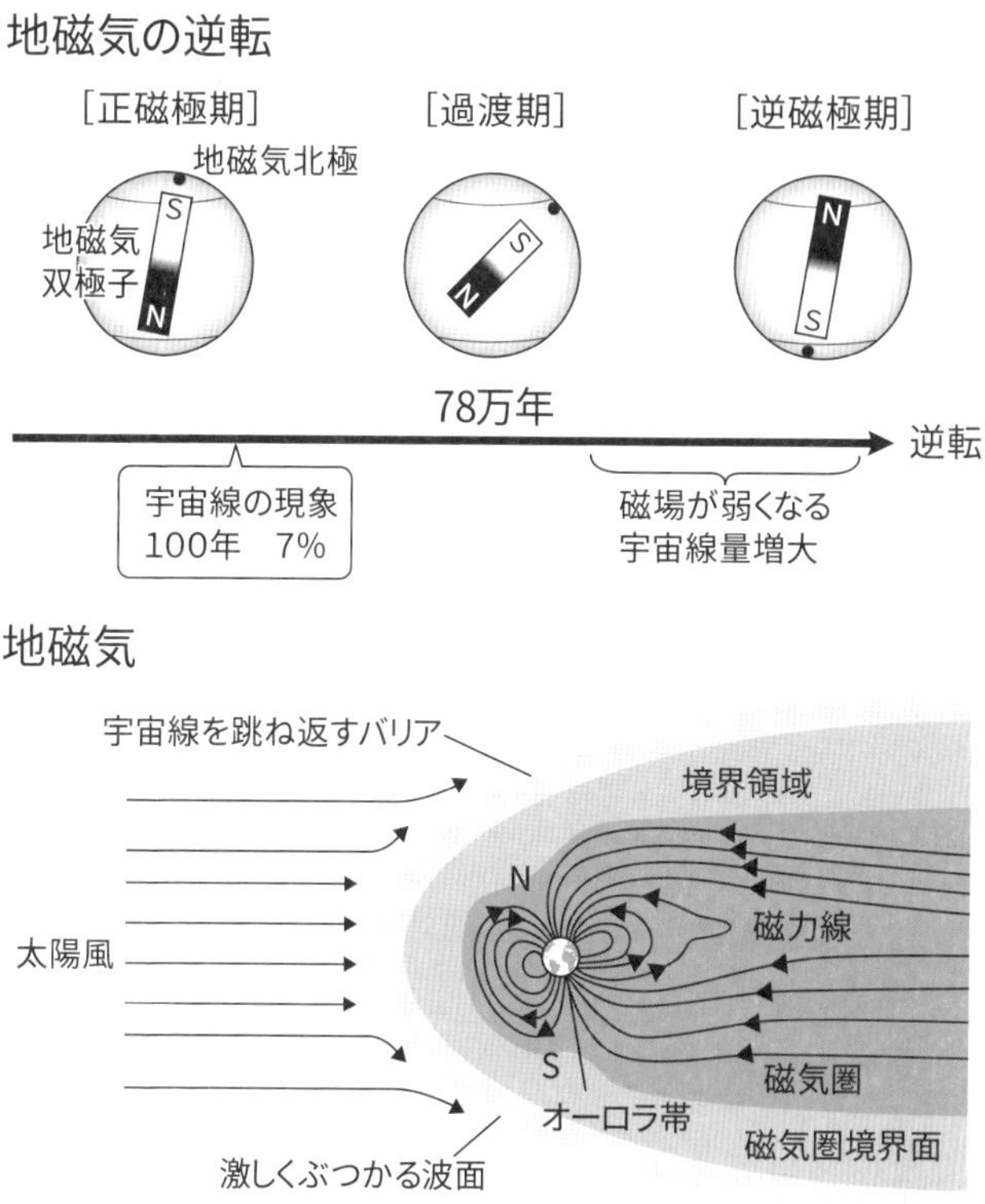

『トコトンやさしい地球学の本』（西川有司・著　日刊工業新聞社）所収の図を基に作成

図-16　地磁気の逆転

要があります。転ばぬ先の杖として、長期間の大停電を避けるためにパワー半導体を組み込んだ高性能な電子ヒューズを電力網の要所に多数配置することなどを考えてみるのも一策かもしれません。

「チバニアン」の発見に伴い、にわかに関心が高まりつつある災害が「地磁気逆転」です。十五世紀ごろから地球は磁石であるとの考えがありましたが、一九二九年に京都大学教授の松山基範が逆向きに磁化されている玄武岩を発見し、地磁気逆転の可能性の論文を発表しました。現在では約二十万年から三十万年に一回の割合で磁極の逆転が発生していることがわかっています。さらにこの数十年の間に地球の磁力は十年に五パーセントの割合で弱まっていることも確認されており、次の逆転の時期が近づいていると考えられています（図－16）。

地磁気の逆転は、私達の生活にどのような影響を及ぼすでしょうか。地磁気の逆転は、突然磁気の向きが変わるのではなく、一方の向きの磁場が徐々に弱くなって、逆向きの磁場が次第に強くなって起きます。従って逆転の一時期は地磁気が弱くなる可能性があります。地磁気は地球に降り注ぐ宇宙線や太陽風を遮る保護シールドの役割を担っているので、それが一時弱まるということは太陽からの有害な放射線量が増加し、前述の太陽フレアと同様のリスクに見舞われることが考えられます。いずれにしても、人類にとって未知・未体験の現象で「いつ起こるかわからない」だけに恐怖です。

かつて、地磁気が現在の約二十八パーセントまで弱まったとされていた時代があり、その時地球に注がれた大量の宇宙線などによる気温低下で生物に大打撃を与えたものと推側されています。さらに北米では氷床や氷河が拡大し、ネアンデルタール人の生存に大きな影響を与えたと言われています。

地球が地磁気を持つ仕組みは解明されつつありますが、地磁気逆転がなぜ起きるのかはいまだにわかっていません。北極圏で観測されるオーロラは美しいものですが、地球の磁力線に沿って地球に降り注いでくる太陽風と大気との攻防戦だと考えると、印象は全く異なります。地震、火山噴火、太陽フレア、さらに地磁気逆転はいずれも自然界に蓄積されたエネルギーの発露であり、人類により制御出来るものではありません。これらによる災害の影響を減らすため、最近の地球科学が提案していることは日常生活では考えもしない時間軸、百年、千年の間隔で大災害の発生する日本列島に我々は住んでいます。このことに注目して百年〜千年のスケールでじっくり考えて、これに沿う生活システムを、過去の経験と開発してきた技術を十二分に駆使して構築し、変動する地盤上での生活を持続して行くべきでしょう。

補記【マントル】
惑星や衛星などの内部構造で核（コア）の外側にある層。

補記【マグマ】
地球を始めとする天体を構成する固体が、その内部で溶融しているもの。

補記【トラフ】
海溝、沈み込むプレート境界。

補記【カルデラ】
火山の活動によって出来た大きな凹地（例えば、阿蘇火山のカルデラは南北約二十五キロメートル、東西約十七キロメートル、面積は約三百五十平方キロメートル、と広大である）。

補記【太陽風】
太陽から噴き出す高温の電離した粒子で地磁気が乱れ、送電、人口衛星などに障害を与える。

補記【スロースリップ】
「ゆっくり地震」とも呼ばれ、海溝などの沈み込み帯でよく見られる現象。

補記【チバニアン】
千葉県にある地球磁場逆転地層。

補記【率先避難者】
身近に危険が迫っている際に、自ら率先して危険を避ける行動を起こし、他人にも声をかけ、救いあう行動をする人。

風水・地震・火山災害と対策

人類は、自分達が発達させてきた技術は自然を制御することも可能だと考えてきました。しかし、それは思い上がりであったことに気づかされつつあります。そして文明が発達すればするほど、自然災害による被害は増大するというジレンマも存在しています。

この数年、百年に一度の規模と言われる梅雨時の想像を絶する降雨量による酷い災害が毎年のように発生しています。この原因は地球温暖化による雨量の増加と考えられていますが、もしかすると梅雨災害のティッピングポイントを超えたのではないかと思われ、今後も災害の規模は増大の方向に進むと予想されます。昨今の災害はさらに多重災害への傾向を示しており、対策として政府は強靱な国土への改善を目標としています。しかし、それが当面の災害処理や復旧において従来の防災構造物に多少の補強を施す程度のことを指すのであるとすれば、今後の気候変動による災害規模の変化や増大に対する、長期的かつ具体的な方針を示しているとは言い難いものがあります。

人口の増加と共に、昔は人が住んでいなかった沼地や山の斜面等を開発・造成して、人は住居を作ってきました。しかし、そういった土地は大雨などが降ると浸水や土砂流を起こしやすいので、災害に遭う危険が高まります。時代が進み、住民も増えれば被害の規模が増大し、復旧に多大な時間と費用が掛かります。防災と復旧の手法を十分に検討しなければなりません。武田信玄が開発した「霞提《かすみてい》」は、ひとつの有効な手段と言えます。これは堤防の一部区間に開口部を設け、洪水の際に堤内地に水を逃がすことで下流に流れる水を減少させる手法です。しかしこの場合、開口部の付近住民の理解を得ることは非常に難しいと思われます。さらに最近の気象変動に十分に対応出来るかも疑問ではありますが、活かせるヒントはあるかもしれません。まさに温故知新なのです。

堤防やダムなど構造物の被災による損壊は、時間とコストを掛ければ復旧することが可能です。しかし人命は失ったら二度と取り戻すことは出来ません。本当に災害に強靱な国土を目指すならば、人的被災を徹底的に減らす大規模な発想の転換が必要でしょう。

以下は、あくまで地震や水害に対する減災を目的とした筆者なりの提案です。

まず、災害が頻発する地域の住居にオフグリッドを導入した十階建ての頑丈な鉄筋コンクリート構造のマンション形式に集約し、平面的に口の字的に建設して中庭は小公園・コミュニティ広場として利用する形式とします。使い方としては、災害時に備えて一、二階は店舗や倉庫、駐車場などとして使用し、住居は三〜十階、屋上には住民の七日分の生活を支える食料・貯水槽・燃料タンク・発電装置・大型の蓄電池・太陽光発電装置・ヘリポート、避難梯子などを設備します。どうしても上部が重くなってしまうので、高度な耐震強化は不可欠です。例えば、河川の近くの軟弱地盤、丘の斜面などの基礎設計には地盤の性質に十分に留意しなければなりません。

事前に解決をしなければならない諸問題は当然あり、このような生活スタイルには馴染めない人も多いでしょう。しかし、災害時に避難の必要がなく救助を待てばよいことを考えれば、安心して生活が送れるはずです。集合住宅になることで空き地となった宅地等は、水田・畑・公園・文化施設・遊水池・太陽光発電用地などに有効に再利用出来るでしょう。この提案は日本以外の国にも減災を目的とする場合に適用出来、都市や農村全ての地域についての自然災害、さらに地震対策にも適用出来るものと考えます。最近のＩＰＣＣの報告書では、今後大規模な大雨の発生が頻繁に起こると予測しており、気候変動に対応したより合理的な対策を講じなければなりません。

二〇二三年のトルコ・シリア地震での鉄筋コンクリート建物の被害は誠に酷いものでした。本来、トルコの耐震規定は日本を参考にしてほぼ同一なものなのですが、規定を順守しない設計や施工がはびこったために大被害となってしまいました。

ここで、多少専門的な説明になりますが、地震力を受けると建造物は縦方向の力には強いものの、横からの力で柱が傾くと重みに耐えられず倒壊するので、横の力に対して内藤多仲博士が関東大震災で証明した耐震壁構造の採用を提案します。これは柱の間を耐震壁設置で補強する工法で、木造構造の場合には柱と柱の間に耐震壁の代わりに斜材を入れる補強がされます。全ての鉄骨構造でも柱間に斜材を入れるのは合理的工法です。土木構造物の橋脚では柱を太くして補強、橋に関しては桁の補強より、桁の落下防止が重要です。土木構造物は多種多様あり耐震方法も多様であるので、その構造に適した工法で対処をすべきです。

日本では地震学者が二〇三〇年から二〇四〇年ごろにマグニチュード八クラスの南海トラフ巨大地震が発生すると予想しており、この対策として早急な補強工事を必要とする構造物が数多くあると思われます。日本では一九六〇年代以降、経済の発展に合わせて新幹線・高速道路など多くのインフラが建設されてきました。しかし当時は資材も熟練労働者も不足しており、コンクリートや砂利、砂などの品質は悪く、特に砂は関西・中国地方では山砂が不足したため海砂が使用された劣悪な施工でした。そのため、関西地方の新幹線や高速道路、ビルなどのコンクリート構造物は年月を経て、脱塩されていない砂で製造されたコンクリート中の鉄筋が錆び、錆の膨張で表面のコンクリートも剥げ落ちているものが多数見つかっています。錆びたままの鉄筋では、たとえ補強されても構造物の強度は大きく落ちます。多少補修はされているようですが、本格的な耐震補強として、既述の内籐多仲博士の理論を基本とすべきです。例えば、コンクリート構造物では追加の柱あるいは耐震壁の設置、斜め部材の設置、コンクリート柱を鉄筋コンクリートあるいは鋼材で囲い込むなど、構造形式、材質に応じて多種多様な方法を施す必要があります。鋼構造の場合には追加の斜鋼材を必要に応じて溶接します。しかし、基礎杭と構造物の基礎構造物との接続の耐震補強は困難であるという問題は残ります。

関西に限らず、日本は多くの構造物が建設されています。これらについても基本的には前述のような補強方法が基本となるでしょう。建設後六十年程度経過すると、鉄錆びによりコンクリートが剝げ落ちることがあり、構造物の強度に影響が生じる恐れがあります。その他、鋼構造物では防錆用の塗装が剝げて錆びている橋梁が地方では多く見受けられます。さらに、跨線橋・跨道路橋などが地震時に落下して下の線路や道路の交通を妨げることを防ぐための桁の落下防止装置の機能の検査など、防止対策が現在十分とは言い難い状態でもあります。ライフラインについても同様のことが言えるでしょう。都心部で発達している地下構造物についても、要所要所に補強が施されていますが、自然の力は人類の想像を超えるものであり、耐震効果は誰にも保証出来ません。

高層建築は日本で多数建設されているが、耐震設計は先の内藤多仲博士の理論より進化した設計法で綿密に行われており、構造的には十分安全であり、基礎も杭、ケーソンで基礎地盤に打ち込まれ安全性は高い。しかし、長周期地震動で高層階では共振により五メートル程度揺れることもあるので、安全のために家具等の固定、エレベーター、ライフラインの損傷が起きることで在宅避難せざるをえなくなります。対策としては、一週間程度の備蓄を進め、エレベーターが使えない場合の対応生活の訓練が必要となるでしょう。今後の問題として、高層建築としては五層ごとに在宅避難用の非常用物資の備蓄設備、建物としては大型制震装置の設置が必要となるでしょう。

耐震対策、構造物の補強の他に地質も関連して、被害は多種多様になりますが、多くの災害から人的被害を減少するためには、ひとりひとりが自治体の発行するハザードマップを確認して、いざという時には「率先避難者」となることです。

南海トラフ地震に関してその被害想定は、前章で述べた震源域全てが一気にずれ動いた場合を前提としています。これを「全割れ」と呼び、一方で専門家が警戒を呼び掛けているのが「半割れ」です。これは想定震源域の半分だけで地震が発生した後、時間を空けて残りの半分が連動して地震を発生させるケースで、最初の半割

表－3　太平洋側の巨大地震の予想発生間隔

地域	千島海溝 北海道沖	日本海溝 東北沖	房総半島沖 千葉県沖	相模トラフ 関東南部 大島	南海トラフ 中部 近畿 四国地域
地震の規模（M）	9	9	8	8	8
発生間隔（年）	340～380	550～600	未知	180～590	90～150

読売新聞2023年3月10日朝刊を基に作成

れが発生した後に別の震源域でずれが発生しマグニチュード八クラスの大地震が相次ぐのです。これが発生すると、最初の地震の災害救助の最中に次の地震に襲われるため、救助活動の困難さが増大し多重被害が予想され、被害の長期化が懸念されることとなります。予想される被害想定は、経済的損失百三十四兆円、震災関連死者は三十都府県で三十二万三千人とされており、家屋全壊液状化八万四千棟、全壊（揺れ）六十二万千棟、火災による焼失二十五万棟となっています。高層建築物は長周期地震動による大被害を受け、太平洋側では高さ二十六メートルの大津波が発生し、その被害は百四十五万人に上ると予想されます。大多数のインフラが広範囲にわたり被害を受け、思うように進まぬ救助活動の前に「七十二時間の壁」が立ちふさがることとなります。

以上はあくまで「想定」ではありますが、日本が大きな損害を受け国力を弱体化させることは事実でしょう。予測では地震発生まで十年弱ありますので、この時間を活用して、損害を軽減するために公共物・避難施設の耐震補強・自宅の補強・防火処置・津波を避けるための移転・ライフラインの耐震補強などを国や自治体は総力を挙げ早急にかつ積極的に進めなければなりません。

首都圏では、今後三十年以内に七十パーセントの確率で発生が予想される首都直下地震は、震源が都心南部、マグニチュード七・三、死者約二万三千人、全壊全焼六十一万棟、経済被害九十五兆円と想定されています。世界でも有数な巨大都市となった東京はその発展と比例するように災害リスクを増大してきました。耐震化や不燃化を進めると同時に、交通機関がとまり大都市特有な帰宅困難群衆雪崩の危険が重要な問題となってきています。関東大震災後百年、個人でも防災対策に気を配る時期にきていると思われます。政府は二〇二〇年四月、東北から北海道沖の日本海溝・千島海溝周辺を震源域とするマグニチュード九クラスの地震による津波の浸水想定を公表しました。最悪の場合、死者は東日本大震災を上回る十九万九千人で津波の高さは二九・五メートル、宮古市では死者が一万四千人に上るとしています。先の震災からもう十二年。次なる災害を見据えた備えにも目が向けられています（表－3）。

富士山噴火における災害事例を前章で掲載しました。噴火の正確な日時を示すことは出来なくとも、気象庁は富士山に配置されている測定装置から常に情報を収集しているので、その指示に従って避難するのがよいでしょう。特に火山灰は広範囲に地上に積もるので、これを避けるためには偏西風を考えて火山の西側に、さらに火山灰の積もった道路は普通の自動車は通行不能となる恐れがあるので徒歩での避難となります。ライフラインやインフラとあらゆる障害の続出が予想されるので、我々は何時起こるかわからない富士山の噴火の対策を個人として日頃から準備すべきで、次は率先避難者として行動することが肝要です。

以上は現状と被害予想をふまえた提案に過ぎませんが、いずれ訪れる現実ではあります。繰り返しになりますが、被害を出来るだけ少なくするため、地震発生までに構造物の補修・補強を進めなければなりません。たとえ天命を待つだけだとしても、人事を尽くすに越したことはありません。災害を受け復旧し、また災害を受け復旧するというループを止め、復旧費用を有効活用するために、最近の災害規模の増大、激しさなどを考慮して、構造物の形式変更も検討し、質の高い鉄筋コンクリートを使用、さらに、耐久性の高いプレキャストコンクリート、プレストレストコンクリート部材などで再建、思い切った発想の転換をすることも重要な時期にきているのではないかと思います。例えば一般家屋の復旧にはプレキャストコンクリートを部材を推奨し、さらに屋上や地下室を設備するなども一案でしょう。

最近は震災と風水災害が重なる多重災害の傾向が顕著で、災害復旧のための莫大な費用の支出が国の経済力を弱め、国力の衰退を助長するのではないかということも心配の種ではあります。

地球上で起きる全ての災害予知はいずれ可能であろうが、見果てぬ夢であろうか。

補記【オフグリッド】
建物内で人々が電力を自給自足して暮らせる状態。
補記【共振】
簡単に説明すると、建物の固有振動数と同じ振動（長い周期の地震動）が加わると建物の揺れが非常に大きくなる。
補記【質の高い鉄筋コンクリート】
簡単に説明すれば、良質のセメントを使用し水分量を少なく良質な材料と入念に作られた鉄筋コンクリート。
補記【プレキャストコンクリート部材】
工場で良質なセメントを使用し混入する水分量を低下し良質の材料と入念に制作されたコンクリート部材。
補記【プレストレストコンクリート部材】
20世紀に開発された工法で、引張り力に弱いコンクリートを高強度の鋼線で補強したコンクリート部材。

大量絶滅

古生物学者によれば地球はこれまでに五回の大量絶滅を経験しており、生息していた生物種の九十九パーセントが絶滅しています。生物の歴史において絶滅は不可避で、種の絶滅は常に起きています。これまでに大量絶滅に巻き込まれた生物の多くは古生物学者以外に馴染みのないものですが、だからと言って我々に全く縁のない出来事であるとは決して言えません。絶滅の原因が、現在の地球の状況に酷似していると考えられる例もあるのです。それは二億五千二百万年前の「P－T境界（ペルム紀－三畳紀）」における歴史上最大規模の大量絶滅です。この時、海生生物のうち最大九十六パーセント、全ての生物種にすると約九十五パーセントが絶滅し、この中には三葉虫なども含まれていました（表－4）。

「P－T境界」大量絶滅の原因はいくつかの仮説がありますが、有力なのは巨大な

表-4　地史を通じて見られる主要な絶滅と環境変化

地質時代（数字は×100万年前）		主な絶滅生物	主な環境変動	絶滅率（%）
中生代 白亜紀末	65	龍盤類恐竜 鳥盤竜恐竜 アンモナイト	巨大隕石衝突	75
中生代 三畳紀末	200	哺乳類型爬虫類 アンモナイト 二枚貝・巻貝類	不明	60
古生代 ペルム紀末	252	腕足類の貝類 古生代型サンゴ 三葉虫	大規模火山活動 気候寒冷化 超酸素欠乏	95
古生代 デボン紀末後期	375	造礁性生物 板皮類魚類 三葉虫	海水準低下 気候寒冷化	80
古生代 オルドビス紀末	444	オウムガイ 三葉虫 コケムシ	海水準低下 気候寒冷化	85

磯崎行雄「『大量絶滅』を乗り越えてきた生命進化」（『ヘルシスト』211号、2016年1月10日発行：ヤクルト）等を参考に作成。一部数字を変えている

マントルの上昇流である「スーパープルーム」によって発生した、大規模な火山活動によるものとする説です。火山ガスには水蒸気・二酸化炭素・メタン・硫黄化合物等の温室効果ガスが大量に含まれており、これらがもたらす温室効果が急激な気温の上昇を引き起こしたうえ、火山活動によって大量に気化した深海のメタンハイドレートが、さらに温室効果に追い打ちをかけて環境が激変したと考えられています。また、大気中に放出されたメタンと酸素が科学反応を起こして、酸素濃

写真：Shutterstock

図-17　地球に激突寸前の巨大隕石

度が著しく低下したことも大量絶滅の重要な要因となりました。現在の地球温暖化問題を考えると、決して過去の出来事として終わらせることは出来ないでしょう。

六千五百万年前の「K－Pg境界（白亜紀）」の大量絶滅では、恐竜などの大型爬虫類が絶滅しました。この絶滅に関する原因は諸説ありますが、巨大隕石（小惑星）の衝突とする説が有力です。研究によれば、秒速二十キロメートルの速さで地球に衝突した直径十～十五キロメートルの隕石は、一分も経たないうち海底に巨大な穴をあけながら地中深く沈み込み、硫黄を豊富に含んだ岩石を気化させせました（図-17）。この衝突による破壊力は、原子爆弾約百億個分とも言われています。穴の中は溶けた岩石と超高温のガスが泡立つ大鍋と化し、そこから噴出したガス状の硫黄と二酸化炭素が何年もの間太陽光線の大部分を遮断しました。その結果気温は著しく低下し、植物は光合成を行えなくなりました。いわゆる「隕石の冬」の到来で、全ての生物種の七十五パーセントが絶滅したと考えられています。この時の痕跡はメキシコのユカタン半島北部チクシュルーブ・クレーターと呼ばれ、直径約一八〇キロメートルのクレーターとして現存しています。

もしも当時人類が存在していたとしたら、巨大隕石が地球に激突した時の衝撃と被害は大変なものとなったでしょう。チクシュルーブ・クレーターと同程度の天体衝突が発生すると、太陽光が遮られ気温が急激に低下することで植物の多くが死滅し、食糧が不足することは恐竜を襲った事態と一緒です。しかし、それに加えて現代の地球上には原子力発電所などのエネルギー施設が多く存在しています。それらが破壊されると大量の放射線が大気中に放出されることになり、地球上の全生物は天体衝突のみならず放射能汚染による「核の冬」を迎えることとなるのです。全生物の九十九パーセントが絶滅してもおかしくありません。

隕石の衝突は地球外からの災厄で非常に恐るべきことですが、現在世界では宇宙から衝突してくる天体から地球を守る「スペースガード」という取り組みが行われています。これは地球に衝突する恐れのある天体を発見・観測し回避に至る方法を研究するもので、回避に関してまだ具体的な解決策は見出せていないものの、人類共通の課題とした地球防衛会議が二〇〇四年に米国で開催されており、これからの国際的協力体制が期待されます。ＮＡＳＡでは最近の宇宙技術を用い、小型の隕石に人工衛星を衝突させ地球に衝突の恐れがある隕石軌道を変更する研究を始めました。別の案として巨大隕石の場合には核爆弾で破壊する方法も検討されていますが、破壊による破片の処理に問題が残ります。いずれにしても、六千五百万年前の様な巨大隕石衝突を避けることが可能になるのでしょう。今後の実用化に期待したいものです。

大量絶滅に関して視点を変えてみましょう。この天体衝突による絶滅があったからこそ、私達人類の祖先である小型の哺乳類は食物連鎖の頂点にいた恐竜が排除されたその空白に入り込み、過酷な環境の中を耐え抜いて現在の地位を得たと言えます。生命の歴史が始まって以来、大量絶滅は五回起きていると考えられていることは述べましたが、そのたびに多くの種が絶滅することで、新たな種の進化が促されたと見ることも出来るのです。過去に大量絶滅が繰り返されたおかげで、私達が現在の姿でここにいられると考えるのは都合が良過ぎるでしょうか。

前述したとおり、ペルム紀の大量絶滅は地球温暖化が原因の可能性が高いと考えられていますが、現代では人類の活動によって大気中に大量の温室効果ガスが放出されています。今後有効な手段を取らずこのまま放置すれば、そう遠くない将来に同様な悲劇が訪れてしまうことでしょう。

約一万年前の氷期の終わりにも大型哺乳類の絶滅が起きていますが、その原因は気候変動に加えて、人類による狩猟採集の影響もあったかもしれません。過去四百年で数多くの哺乳類や鳥類・両生類・爬虫類が絶滅しました。二〇一一年に『ネイチャー』で発表された論文で、現在の生物の絶滅率を地質学的に平穏な時期と大量絶滅が起きた時期で比較した結果、現在の生物の絶滅率が過去よりも高く六回目の大量絶滅に向かっていると結論付けました。人間の活動が地球規模で環境に影響を及ぼし、その影響は加速しているのです。

人間の活動によって、百万種の動植物が絶滅の危機に瀕しているとするレポートも国連から公開されました。その報告は、現在知られている種の四分の一が絶滅の危機に瀕しており、いずれ人類自身を含めて多くの生物が一度に絶滅するかもしれないことを示唆するものでした。そうなれば、一万年前から現代までは完新世と呼ばれているので、「完新世大量絶滅」ということになるのでしょう。完新世絶滅の進み具合は、絶滅する種が年に十四万種くらいと言われています。やがてこのことは人類の生存にも関わってくることです。特に人類が抱える問題である地球温暖化は生物の環境に悪影響を与えており、絶滅を促進しているという懸念があります。従って、まずは気候変動に与える影響を最小に近づける努力を続けて行くことが必要でしょう。

生物が多少少なくなっていると言っても、早急に世界が終わりに近づいていることを意味するわけではありません。しかし絶滅する種の数がどれくらいになれば問題なのかということは重要です。ここにも「ティッピングポイント」が存在するはずです。絶滅種数の許容範囲は意外に狭いかもしれません。

ここまで、自然の影響による大量絶滅について述べてきました。今後、人間の絶滅に大きく影響するであろうと考えられるものとしては、すでに述べてきた巨大隕石の衝突・巨大カルデラ火山噴火・大気中の酸素量変化・太陽活動などが考えられます。しかし研究によれば、これらが発生することで人類が滅亡に追い込まれる事態となる確率は、太陽活動を除くときわめて低いと考えられています。今後問題とすべきは、人類自身を原因とする絶滅への直面でしょう。人間を最も多く殺しているのはハマダラ蚊によるマラリアで、次は人間自身だと言われています。人類は一面温和で優しい面を持っていますが、振り返ると人類の歴史は神話の時代から殺戮の歴史でもあります。古くは神話の時代に遡り、現代ではヒットラーやスターリン、毛沢東など、またカンボジアやルワンダにおいて戦争以外で百万人単位の大量虐殺「ジェノサイド」が行われてきたのです。最近のプーチンによるウクライナ侵略も、戦争と言いながら実質はウクライナ人に対する大量殺戮行為といってよいでしょう。そう考えると、残念ながら人類は自分自身を含めて、最も多くの動植物を絶滅に追い込んでいる生物史上最も危険な種でもあります。この先、核による「オムニサイド（極端な大量虐殺）」や生物兵器戦争、パンデミック、人口過多、生態系の崩壊、気候変動、ポストヒューマンの出現など、いずれもその発生の確率は低いとされながらも提唱される仮説シナリオには枚挙に暇がありません。学者によると人類そのものも絶滅危惧種に分類されているようです。

人類が最も絶滅に近づいた出来事として、約七万年前に起きたスマトラ島のトバ・カルデラ巨大火山噴火があります。この大噴火は過去二百万年で最大規模とされており、大気中に巻き上げられた火山灰は日光を遮断して地球の平均気温は五℃低下、さらに寒冷化は約六千年続き地球はヴュルム氷期へ突入することになりました。当時の地球には、現代の人類であるホモ・サピエンス以外にも「原人」と呼ばれる数多くの種が生息していましたが、この寒冷化によりほとんどが絶滅し、残されたのはホモ・サピエンスと二種の原人のみでした。原人は回復不可能なレベルまで減少・分断されて絶滅し、ホモ・サピエンスも総人口が一万人以下にまで減少するという、生物学的には滅亡状態に追い込まれましたが幾多の困難を乗り切り、現在では総人口約八十億人という奇跡的な回復を遂げることとなったのです。さて、現代のホモ・サピエンスはかつてとは比べものにならないほどの発達を遂げました。今日までに身につけた知恵と力は、その行使の方向を誤り思いもよらぬ悲劇を引き起こしかねませんが、正しく使用すれば、襲い掛かる災害や危機的状況への抵抗を十分可能とし得るものだと思います。力の行使を過たず、互いに思いやる気持ちを忘れない限り人類はそう簡単に絶滅することはないはずである、と私は信じています。

宇宙開発

人類の活動は長い歴史の中で、そのほとんどを地上のみにて行ってきました。さらに歴史を重ね、二十世紀から二十一世紀になりその活動範囲は空を経て、やがて宇宙へと広がりました。人類は無限とされる宇宙空間で、無限の活躍の可能性を獲得したのです。ドイツは世界に先がけてロケット兵器の開発に成功し、第二次世界大戦ではV２ロケットなどが実戦使用されていました。しかしドイツの敗色が濃厚になると、ロケット技術者達はアメリカに投降したりソ連に接収されるなどして、ロケット技術は戦勝国に引き継がれることとなりました。

アメリカとソ連は、一九五五年にそれぞれ人工衛星の打ち上げを宣言していましたが、先に小型の人工衛星スプートニク一号の打ち上げに成功したのはソ連で、一九五七年十月四日のことでした。さらに一九六一年、ソ連はガガーリンによる人類初の宇宙飛行も成功させます。半歩遅れたアメリカは一九五八年にＮＡＳＡを設立、ケネディ大統領は最初に人類の月着陸を実現させるアポロ計画を進めました。そして、一九六九年七月二十一日にアポロ十一号が世界初の有人月面着陸を成功させ、宇宙開発競争は頂点を迎えたのです。

その後半世紀、ロケットの性能と宇宙技術は飛躍的に向上し、月以外の太陽系の惑星へと探査が進んでいます。現在ではＮＡＳＡを中心として、日本も含めた先進国の国際的パートナーシップによるアルテミス計画が進んでいます。これは有人宇宙飛行による月着陸と長期間の駐留を確立することで月での民間企業の基盤を築き、最終的には人類を火星に送ることを目標としており、その達成が期待されています。

日本における近代的なロケット開発は、決して十分とは言えない外国からの資料をもとに、一九三一年ごろ兵器開発の一環として陸海軍はイ号ミサイル、ロケット局地戦闘機などの開発を行っていましたが敗戦により中止となり、サンフランシスコ平和条約締結後に研究は再開されました。日本の宇宙開発は一九五五年、東京大学教授の糸川英夫によるペンシルロケットの水平発射実験から始まりました。その後技術を大幅に進歩させ、一九七〇年に「L（ラムダ）-4S」ロケットによる日本初の人工衛星「おおすみ」の打ち上げに成功しました。その後液体ロケット技術を米国から導入して「N-1」ロケット七機の打ち上げを成功させ、この成果を受けて「H-1」を開発し運用、そして一九九四年に初の純国産液体ロケット「H-2」ロケットの開発に成功しました。ついに日本は自立した大型ロケットを手にすることとなり、さらに低コストの固体ロケットの開発を進めています。現在、日本の大型ロケットは宇宙船への資材運搬や人工衛星の打ち上げなどに盛んに利用されていますが、小型の隕石（イトカワなど）から資料を採取する技術は世界最高と言われており、NASAからも高く評価されています。しかし、日本の宇宙開発の中心組織であるJAXAの予算は年一八〇〇億円、人員は約一六〇〇人でNASAの十分の一以下に過ぎません。

現在のロケット技術では月まで行くのに四日、火星には八ケ月掛かるとされており、太陽系以外の惑星の探査となると何年何十年、さらに何百年も掛かると言われています。しかし将来、ロケットのスピードはエンジンの推力からソーラーセイルに代わり、太陽輻射圧によって光速の二十パーセントまで上げることが可能とされていて、実現すれば太陽系を越えて天の河銀河の惑星まで探査の可能性が広がることでしょう。

最近、アメリカは月を火星探査のベース基地として利用することを目論んでいるようですが、ロシアや中国は月の領有権を巡って争ってくることが予想されます。本来、このような問題は国際的案件として「宇宙条約」や「月協定」に基づいて解決すべきことです。しかし月協定は、月の平和的利用・環境保護・領有の禁止を内容とし、一九七九年に国連で採択され一九八四年に発効されましたが、実際に締約している国はきわめて少なく、環境保護のために月の資源開発を自由に行うことが出来ないことから、アメリカを始め実際に宇宙開発を行っている国は一ケ国も批准しておらず、事実上死文化しているのが現状です。

一方、宇宙条約では天体の領有を禁止していますが、それは国家のみにとどまっており法人・個人の場合については禁止の内容が曖昧になっています。この抜け穴を突いてアメリカは、個人や法人による資源の所有を求める「二〇一五年宇宙法」、さらに二〇二〇年、「アルテミス合意」を成立させました。この背景には、アメリカで宇宙資源の開発を目指すベンチャーが立ち上がっていることがあります。これにより各惑星などの天体の探査が主だった宇宙開発は次の段階である資源の開発にも進んで行くことでしょう。さらに二〇一九年、アメリカは陸海空軍、海兵隊および沿岸警備隊と並ぶ第六の軍種として「宇宙軍」を創設しました。「宇宙は最も新しい戦闘領域である」と位置づけ、すでに宇宙兵器の開発を進めている中国やロシアに対して宇宙における自国の優位性を維持しようとするものです。しかし、こうした動きは他国の宇宙兵器開発を一層促進することになり、本来は宇宙空間で軍事衝突が起こる「宇宙活動の国際行動規範」などのルールづくりの先頭に立つべきなのです。

宇宙開発の進展に合わせて発生するのがスペースデブリ（宇宙塵）の問題です。スペースデブリは地球の衛星軌道上を周回している人工物体（耐用年数を過ぎた人工衛星や衛星を打ち上げたロケット本体、宇宙飛行士が落とした工具など）のことで約一億六〇〇〇万個と言われており、動中の人工衛星と衝突したり地上への落下の可能性など、安全性が危惧されています。仮に宇宙で戦闘が発生した場合さらに多くのデブリが宇宙空間を漂うことになるでしょう。二〇一八年にはイギリスが開発した「リムーブデブリ（デブリ除去）」衛星が、回収実験で網による超小型衛星捕獲に成功していますが、実際デブリには大小様々なものがあり、それらの処理を具体的にどう行うかは非常に難しい問題です。日本国内でもＪＡＸＡを筆頭に様々な民間企業がデブリ除去活動を計画しています。さらに、この作業は宇宙空間で衛星などの点検、整備、燃料補給などのビジネス展開を目指しています。今後の処理の研究に期待がかかります。

主要各国が莫大な費用を投じて行っている宇宙技術開発ですが、これらは人類に対してどのような影響を与えているかを考えてみたいと思います。

これまでの宇宙開発に対する一般的なイメージは、

1. 夢はあるが我々の日常生活とあまり関係がない。

2. 最先端の科学技術・研究開発で、先進国が国の事業として威信をかけ行っているが、プレイヤーは宇宙機関（科学者、研究者）と大企業。

3. 宇宙旅行や、月・火星への移住は遠い夢。

という感じではないでしょうか。

しかし、1に関して言うとテレビは通信・放送衛星、カーナビや地図アプリは測位衛星のおかげで私達は使用することが出来ます。また天気予報に使用される気象衛星を含む地球観測衛星は、気象のみならず自然災害に対する防災や温室効果ガスの分布災害情報など地球環境の把握に役立っており、人工衛星の観測技術を利用して農作物の生育状況を見える化出来るサービスも登場しています。このように日常生活のあらゆる場面で人工衛星が利用されており、宇宙技術は重要な社会インフラの一部となっているのです。宇宙における戦争でこれらの人工衛星が破壊されれば私達の市民生活は壊滅的な打撃を受けることを忘れてはなりません。

2に関して、確かに宇宙事業は莫大な予算を必要とするものです。しかしその多様化に伴い、従来の宇宙企業だけでなくベンチャーなどの新たな企業の参入が増えており、これに投資する投資家に加え国や宇宙機関から技術や資金の支援が行われ、共同事業としての事業形態が出来てきています。人工衛星などに用いられている耐熱材料や太陽電池、情報通信技術はすでに我々の生活に密着しています。特に薄膜太陽電池は再生可能エネルギーの生産に活用されており、天文学研究のために必要なコンピュータの高処理能力などの技術や製品が社会を支えています。

3については、すでにいくつかの企業が宇宙観光事業を試行的に開始しており、早晩定常的な事業として展開され、一般人が日常的に宇宙空間に出かける日が近づいているように感じられます。

最近の情勢から宇宙先進国にとっては宇宙技術により宇宙観光、人口衛星の打ち上げ、月面基地の建設、スーペースデブリの除去などのビジネスは自動車やエネルギー関連事業などに取って代わる新しいビジネスとしての期待が高まってきています。

一方、月や他の惑星への移住となると、多くの問題の解決が必要となり二十一世紀中に可能となるかは疑問です。他の惑星への移住が可能となったとしても、当面移住は選ばれた人々だけでしょう。勝手なイメージですが、地球上とは全く異なる環境での宇宙服着用、制限された食事、暗い緑のない砂漠のような光景の中で無味乾燥な生活、行動も制限され不自由そのもので、出来れば私は遠慮したいものです。

近年、人類は膨大なエネルギーと智力を宇宙に注ぎ込んでいます。そこから得た知識と技術を基に、人類は何を探し、何を求めているのでしょうか。ともすれば、真の目的（何なのかは私には定かではありませんが）を見失い、永遠に広がる闇の中で永遠に彷徨い続けるという結末が待っているだけかもしれません。それでも求めて止まない、この茫漠たる空間の向こうには何があるのでしょうか。

経済の変革と政治

社会主義は、資本主義の行き過ぎにある程度のブレーキをかける役割を持っていました。しかし東西冷戦が終結し、ソ連の崩壊とともに社会主義が実質的に消失すると、資本主義は一気に全面化し、自由市場の拡大は経済の発展をもたらすと同時に一層の貧富の格差を生むこととなりました。貧困問題に取り組む国際的なＮＧＯ「オックスファム」は二〇一七年一月のレポートで、最富裕層トップ八人の資産と世界人口のほぼ半分に当たる下位三十六億人分の資産がほぼ同じであることを発表しました。この八人が所有する資産は合計四二六〇億ドル、当時の日本円にして約四八兆七千億円という信じられない額をたった八人が所有していたのです。さらに二〇二〇年五月、コロナ禍で三十時間にひとりの億万長者が誕生しているとのレポートも発表しました。オックスファムはレポートに合わせて「パンデミックが始まってから、ひとりの億万長者が生まれるたびに、百万人が極度の貧困に追いやられている」とツイートしています。

社会主義の力が衰えた後、資本主義は格差を正当化するイデオロギーの役割を果たしました。曰く、自由な競争の結果経済が成長すればいずれ万人に富が行き渡る、だから政府の規制は出来るだけ撤廃して市場原理に任せるのが良いのだ、と。こうした新自由主義的な考え方は世界を席巻し、利益を独占する企業や金融グループが政府に代わって経済を支配するようになり、金融資本主義は新自由主義の制度に大いに後押しされて発展しました。しかし、その利益が資本家と労働者と政府の間で適切に分配されてきてはいなかったため、格差は拡大の一途をたどって行ったのです。

日本では、一九六〇年代になると池田内閣の掲げた「国民所得倍増計画」の下、高度経済成長を背景に国民の消費支出は十年で二倍以上に拡大しました。それが多くの中流層を生み出すことになり、七〇年代には「一億総中流」が実現しました。さらに二〇〇〇年代の「小泉構造改革」に続く「アベノミクス」は、一年間で日本の富裕層を二十パーセント以上増やしましたが、反面非正規雇用の労働者は増加し、全労働者の四分の一はワーキングプアという状況を生み出したのです。もはや「一億総中流」は昔話となってしまいました。そして、貧困層の子供達は十分な教育を受けられないため正規労働者としての就職が難しく、非正規労働者がさらに増加するという貧困の悪循環が今の日本でも現実に起きているのです。格差と貧困が拡大すると国民の購買力は低下し、経済成長率も落ちてきます。格差を減らすということは人道的に必要なばかりでなく、経済成長のためにも不可欠なことなのです。

コロナによって打撃を受けた政治・経済の回復を目指すためには、格差を拡大させてきたエセ新自由主義とも言うべきアベノミクスを捨てて、政府の権限を拡大した「大きな政府」の方向に転換して行くべきであると筆者は考えます。とりあえずの政策として、コロナで最も打撃を受けた中産階級以下の人々に対する生活補助、雇用の促進や中小企業の事業継続等いろいろ必要となりますが、ベーシックインカムは国情を十分に考慮し速やかに進めなければなりません。ベーシックインカムは、社会主義的な発想から出てきたアイデアで自由な働き方の後押しに役立ち、小子化対策にもなるというメリットがあると言われています。そしてこの機会に、必要な財源として税制の本格的改革を行うべきでしょう。まず、消費税はGDPを支えている中間層の購買意欲そぎ、特に低所得者の生活に打撃与えているものです。政府としては安定した財源かもしれませんが中止すべきであると考えます。高額所得の収入税率を最高八十五パーセントの累進課税として取り立てた税金で広範囲な福祉政策を行えば、GDPの約六十パーセントを支えている中産階級以下の層の購買力は活発になり、経済を活性化することが出来るはずです。さらに、富裕層とその親族が所有する全ての有形資産・無形資産・暗号資産への累進課税、遺産相続税やケイマン諸島などに隠した財産の調査を実施して課税し、脱税や経済犯罪に対しては罰則の強化と厳格な執行が必要です。このためには綿密で強力な税法の改革と、国税庁・税務関連の人員増加や調査力のレベルアップ、さらにタックスヘイブン等の防止には強力な国際協力が必要となります。資本主義経済の中であぐらをかいている富裕層や政治家達にとっては我慢出来ないことかもしれませんが、彼等の存在は社会があってこそ成り立つことを認め、社会に対してそれ相応の税負担をすることは当然ではないでしょうか。

資本主義経済とは、基本的に格差を広げるシステムを包含しています。今後何らかの形で変革を行わなければ、日本はきわめて少数の富裕層ときわめて多くの貧困層を抱えて、急速に衰退して行くしかないのではないかと思われます。

コロナ終息後は、当面各種事業等の回復を含めた業界の処理を行い、その後にコロナで弱点を露呈したグローバル経済に対する反省と重要産業の国内回帰の検討が必要でしょう。スタグフレーションへの警戒も必要です。また、デジタル化は二十一世紀を通して大きな流れとなります。今後も競争力の源泉であり続けるので、巨大IT企業は今後も「勝ち組」として一層の影響力を増すことは間違いありません。

EUの「デジタル市場法」はどのように機能するか、その規制は引き続き大きな課題であります。それに伴い、公正取引委員会には「デジタルプラットフォーム」に対する取引状況の監視の強化を期待したいと思います。

誤った新自由主義によって、格差を広げてしまった欠陥を修正する新経済理論を実行するには多くの時間と、実行力と信念を有する政府と政治家が必要です。まずは早急に税制の本格的な改正を行う必要があります。それにより格差の広がりを少しでも小さくして、全ての人間の幸福に寄与する経済システムに変革して行くべきでしょう。

日本社会は一九九〇年頃から人口オーナス期に入っているにも拘らず、国が経済成長を維持するための政策は不十分と言わざるを得ません。今後の経済成長のために、社会保障のさらなる整備や世代間格差の是正、女性や高齢者の雇用促進と生産性の向上を目指さなければならず、そのためには人的資本の強化、良質な資本ストックの蓄積、技術革新の推進などが必要ですが、現在の政策ではまだまだ十分とは言えません。人口オーナス期に経済発展しやすい働き方へ転換出来るようにしなければならないのです。

かつて日本は、政治は三流、経済は一流と見られていましたが、世界銀行の調査によると現在の日本の経済面での男女格差は残念ながら先進国中最下位。異次元と言われる歪んだ金融緩和政策の結果、日本経済は今や一流どころか三流以下に成り下がっています。この苦境に立ち向かう指導者として期待出来る人物は果たして現れるのでしょうか？　この問いに対する私自身の答えは、残念ながら現時点ではノーです。

国会議員、政府関係者の多くは次の時代に思いを致しているとは思えません。ポピュリズムという短期主義に走った結果愚策を繰り返し、莫大な財政赤字を生んだことで世界的金融危機という新たなグローバル問題を惹起したのではありますまいか。愚かしい政策を直ちに止め、地球社会を長期に運営する賢い政府となってくれることを強く望んで止みません。さらにそれを支える人々をも。

補記
二〇二二年、「新しい資本主義」を目玉として打ち出していた岸田内閣は防衛費に関して五年以内の抜本的強化を明記する半面、当初掲げていた「金融所得課税」を見送り、政権発足当時に強調した「分配」重視の姿勢を大幅に後退させた。「アベノミクスへの回帰」と評され、格差是正の具体策は示されなかった。「骨太方針」どころか、とんだ骨細である。

補記【人口オーナス】
働く人より支えられる人が多くなる状況。

おわりに（次に来る時代）

地球はすでに述べたように、生物に対して多くの絶滅的危機を与えてきた決して優しい惑星ではありません。現代を生きている私達にとって地球温暖化は、二酸化炭素の放出に伴う気候変動であれ、地球の自然現象によるものであれ、すでに現実のものとして存在しています。たとえ人間の関与がなかったとしても、地球が太陽の周りを公転し続ける限り気候変動は永久に停止することはなく、私達が暮らす世界はこれから先も確実にその姿を変えて行くのです。現代は比較的温暖な気候ですが、これは地球にとって「典型的」な気候ではなく、数十万年ペースで繰り返される氷期と氷期の間に挟まれた「間氷期」であり、温暖で暮らしやすい今の気候は次の氷期が訪れるまでの一時的な状態に過ぎません。現在の間氷期は、すでに約一万一千六百年を経過しています。研究によると間氷期は平均数千年と言われてい

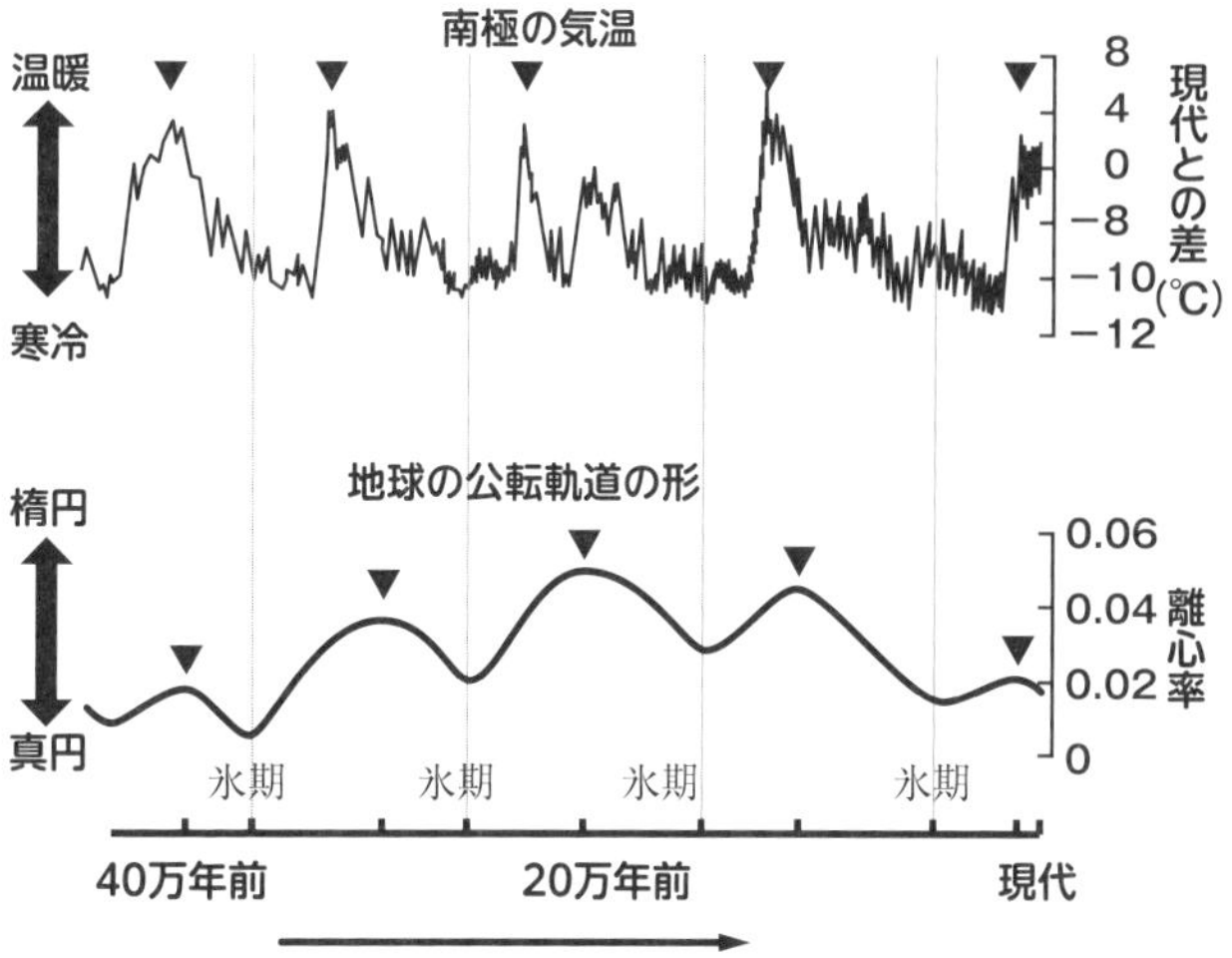

公転軌道のいわゆる「離心率変動」が氷期のタイミングを決めていることは確かなようだ。

『人類と気候の10万年史』（中川毅・著　講談社）所収の図を基に作成。一部加筆

図－18　地球の公転軌道と気候の関係

ますが、例外的に二万年間の時もあったようです。さらに、最近の研究で月や他の惑星の引力によって地球の自転軸の傾きが変わり、それが氷期の周期に影響を与える可能性があるとされています。いずれにせよ、現代の「安定で暖かい時代」がいつかは終わるというシナリオが、すでに用意されているのです（図－18）。

二十一世紀以降いつか未来に訪れる、現在の「安定で暖かい時代」の終わりに向けた備えを考えておくべ

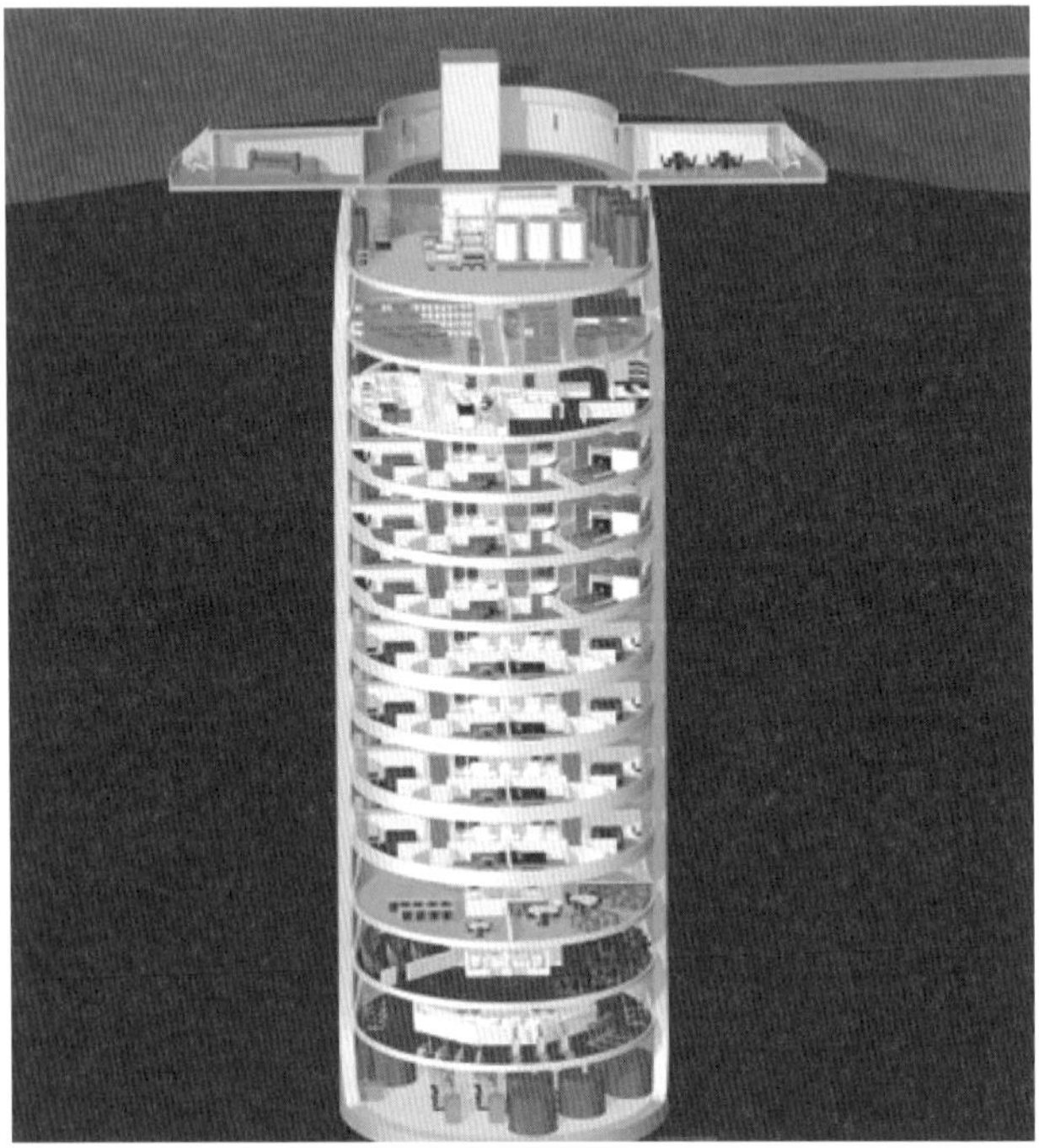

アメリカ社会の様々な問題に対する反応として、一部の裕福で力のあるアメリカ人は、問題解決に向けて努力するのではなく、大金を費やして国内の打ち捨てられた地下ミサイル倉庫を豪華な防空壕に改装して、問題を避けようとしている。

Survival Condoのウェブサイトより。同社が売り出した、高級マンション型の核シェルター

図-19　地下生活の様子

きでしょう。平均気温は標準値から約八℃低下し風雪の強度が増大すると推測され、衣食住を含む人間の活動はかなり制限されることとなります。エネルギー使用は増大する半面、食料の供給は不足がちとなるでしょう。生存のためには今までの科学技術を総動員して、エネルギーや食料などの生産と保有に力を注がなければなりません。人類にとって経験したことがない未知の状況です。いっそのこと地上での生活を捨て、地下あるいは海中に大規模な都市を建設して（図－19）、住居と経済活動の場とするくらいの大胆な発想の転換が必要かもしれません。そこに求められるのは、想定を超える応用力を秘めた個々人の柔軟な知恵とオリジナリティーであり、その想定外の発想と才能をいつでも活躍させることの出来る、多様性と抱擁力を持った社会なのです。将来はそこにＡＩの活用も加わってくるでしょう。しかし世の中の楽観バイアスは拭い去りがたく、特に若い世代は狭い見聞で気軽に過ごすことを良しとし、自分達の世代が地球資源の枯渇や環境問題、情報が溢れていても無味乾燥な人間社会など、負の遺産を引き継ぐことになるかもしれないことを理解していないようです。
ここまで述べてきたように、人類が構築してきた世界は一見堅固のように見えて実はきわめて脆弱です。人類に今後起こり得る出来事に比べれば、コロナの流行や地球の温暖化などはほんの一時的な停滞や後退に過ぎないかもしれません。ホモ・サピエンスはその誕生以来初めての、そして最後となるかもしれない体験をもたらす出来事が近い将来起きるかもしれないのです。その時にこそ、ホモ・サピエンスの環境に対する本当の適応力が試されることになるでしょう。

すでに述べたことですが、何万年何十万年先の未来、気候変動、大気組成の変化、地殻変動などの地球環境変化、ニューバイオテクノロジーの乱用などにより新たな進化を遂げた生物、あるいはネオ・ホモ・サピエンスと呼ぶべき種の誕生する可能性があるかもしれません。かつて我々の祖先がネアンデルタール人らを絶滅させたように、彼らは人類が長年にわたって築いた文明の全てを破壊し、我々の子孫はその存在を淘汰されることになるかもしれないという恐怖のシナリオも付け加えておきましょう。

二〇二三年に発表された世界終末時計が示した時間は、人類の終末まで「残り九十秒」と最も終末に近づいた結果となりました。北朝鮮のミサイル発射やウクライナ戦争におけるプーチンによる核爆弾の使用の可能性等によって核戦争の脅威が増加したこと、新型コロナや気候変動などの危険な課題に向けた準備が不十分であることなどが背景にありますが、プーチンや習近平・金正恩などの問題ある人物達の行動次第では人類の生存時間はもっと短くなってくるのではないでしょうか。高名な天文学者カール・セーガンは、宇宙に他にも知的生命が存在するかと問われて「**思わない。どんな種であっても僕らの様な進化の段階に到達したら自滅するだろうから**」と答えました。いつ何時に誰が自滅のスイッチを押すのかしれない不安を抱える、二十一世紀の人類にとっては非常に重い言葉と言えましょう。いつかは訪れる最期とは言え、アルマゲドンによって『渚にて』のような結末にならないことを祈るばかりです。

ともあれ、「私達は全く偶然にも宇宙が緑豊かな春のような時期に生きている」という幸運に恵まれているということを忘れてはなりません。

森羅万象の物事に始まりと終わりがあります。ビッグバンによって始まった宇宙は、今後無限の空間に凝集と拡散を繰り返し、やがて十の百乗年後、「ビッグウィンパー」と呼ばれる永遠の静寂と暗黒の終焉を迎えるだろうと考えられています。

『こんな風に世界は終わる。轟音ではなく、
　めそめそと泣く（ウィンパー）声とともに』
　　――T・S・エリオット「うつろな人間たち」より

補記【『渚にて』】

第三次世界大戦後、迫り来る最期の日を描いたネヴィル・シュートのＳＦ小説。

あとがき

私は、卒寿プラス二になる老人です。大学を卒業した後は公務員として勤務しながらフランスに留学、五十歳で博士号を取得し、大学で研究の傍らに教鞭をとっていました。土木学会賞をいただき、国際会議での研究発表や座長を務め、この間に技術専門書も七冊ほど出版しました。大学退職後は橋の写真集などを六冊出版し、写真展を開催したりしました。大学を退職して二十余年、世界はあらゆる点で二十世紀に想像されたそれを遥かに超えたレベルになっていると言えるでしょう。様々なテクノロジーは目を見張る発展を遂げましたが、半面地球への負荷は一層強くなり、その報復であるかのように自然災害はその規模と頻度を年々増大させてきています。一方、政治の世界では未来を見つめたより強い指導者の登場が待たれますが、それも久しい状態であると言わざるを得ません。

私は土木工学が専門で、政治経済や自然科学においてはほとんど門外漢です。しかし、現在置かれている地球規模の危機的状況に際し、出来ることはないものかと文献をあさり、素人なりに考えをまとめてみました（少々エキセントリックな面もあるかもしれませんが、ご容赦のほどを）。多くの方々はあまり気にされていないとは思いますが、太陽系第三惑星のホモ・サピエンスに多くの危機が迫っていることに気づき、少しでも関心を持っていただければ幸甚です。

最後に、本書の執筆にあたり㈱北斗社の小野幹朗氏には参考意見を頂きお世話になりました。出版に際しては、新潮社の秋山洋也氏を始め担当の皆様に色々お世話になり有り難うございました。末筆ながら心から感謝申し上げます。

二〇二三年十月十日

泉　満明

本書は、二〇二二年十二月に刊行した泉満明著『人類の現在と未来へのシナリオ』(新潮社図書編集室)をもとに著者自身が大幅な加筆・改訂をし、改題したものです。

作図：Mog、森杉昌之

未来《みらい》のためのミッション

人類《じんるい》が直面《ちょくめん》する危機《きき》とその対処法《たいしょほう》

著者

泉《いずみ》　満明《みつあき》

発行日

2023年11月30日

発行　株式会社新潮社 図書編集室

発売　株式会社新潮社

〒162-8711 東京都新宿区矢来町71

電話 03-3266-7124（図書編集室）

組版　森杉昌之

印刷所　錦明印刷株式会社

製本所　加藤製本株式会社

ISBN978-4-10-910263-6 C0095

価格はカバーに表示してあります。